BLOOD-SUCKING ANIMALS

図説
世界の吸血動物

監修
浅川満彦

編著
葛西真治
三條場千寿
島野智之
中島宏章
中野隆文
西海功
比嘉由紀子
山内健生
吉澤和徳
（五十音順）

はじめに

　1897年8月20日に、英国の医師ロナルド・ロス博士はマラリアの病原体であるプラスモディウム属原虫がハマダラカにより伝播されることを発見した。この業績によりロス博士は、第2回ノーベル生理学・医学賞（1902年）を受賞した。この発見から125年が経過したが、この感染症マラリアはいまなお世界、特に、熱帯地域の人々を苦しめている。もちろん、これに関わる臨床医師、寄生虫学や昆虫学の研究者、薬剤の専門家や企業などは根本的制圧のために、日夜、診断・治療・予防・教育啓発活動を続けている。しかし、経済的に恵まれた人々が暮らす地域では、とりあえず現在、マラリアは問題の無いレベルにまで制圧されたため、深刻に受け受けとめられてはいないし、こういった活動すら認識されていない。

　だが、この3年間、新型コロナウイルス感染症COVID-19が全世界を覆い

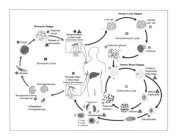 

つくし、図らずも人々は感染症を身近で切実な現象として捉えた。そして、次のパンデミックに慄き、結果的に感染症全体に目を向けられ、実はロス博士のように感染症との戦いは非常に早期から始まっていたことを知ることになった。そして、このことをより強く知って頂くため、前述したハマダラカがマラリア原虫の感染に関わることが判明した8月20日を「世界蚊の日」として、世界各地で様々な取り組みが行われ、本書の刊行もその一環である。

　感染症はどうしようもなく深刻な側面を醸し出すが、その前提は正しく知ることである。すなわち、正しく恐れるということ。されども、そのためには、知的興奮を伴わないとウィズコロナに代表される病原体との共生は画に描いた餅になろう。本書もそのような意図で、各動物のエキスパートが皆さんに楽しんで貰えるように工夫している。

監修者・浅川満彦

CONTENTS

1

CHAPTER

血を吸う節足動物

2
CHAPTER

血を吸う環形動物

3
CHAPTER

血を吸う脊椎動物

コラム

特集

ハシボソガラパゴスフィンチ *Geospiza difficilis*（写真提供：アフロ）。

他者の血を得て生きる者たち

吸血動物とは

"吸血" の定義を考える

　本書題名にある吸血動物(blood-sucking animal)であるが、たとえば、巌佐ら(2013)では「脊椎動物を宿主とし、体の外側からその血液を吸って自分の栄養にする動物」と定義されている。そして、この「吸血」という行動様式には皮膚に傷つけ、流出する血液を舐める行動も含むとしているが、それならば、血液とそれと区別できないような体液・組織を主要餌資源とする動物にまで拡張しても良いかなと勝手に解釈し、本書でもそのような種も含んでいる。すなわち、蚊、蚊以外の昆虫類、ダニ類・甲殻類などの節足動物を第1部で、またヒル類(環形動物)を第2部で、さらにヤツメウナギ類・ヒワ類・コウモリ類などの脊椎動物を第3部で解説する。これら奇妙な動物について写真を多用し、楽しくご覧頂く工夫に徹した。

　再び巌佐ら(2013)の吸血動物に戻るが、これには体内で吸血する内部寄生虫は含めないとしている。しかし、寄生様式の進化と寄生部位である体外・内との関係を眺めると、このようにスパッと切り分けることは難しい。たとえば、海棲動物に取り付く寄生性腹足類は寄生を開始した進化学的時間スケールの最初、貝殻を持つ巻貝然の姿だが、宿主－寄生体関係を深めていくうちに、皮膚を突き破り筋肉にまで入り込む。そうなると、鎧である貝殻はもはや不要になり、ごく普通の内部寄生虫(蠕虫と総称される)化している。また、本書にも登場するが、寄生性甲殻類の中には、呼吸器系に潜むシタムシ類がいるが(諄いが、外見は完全に蠕虫)、おそらく、この祖先系も鼻や口先にいた甲殻類であったはずだ。さらに、肺ダニ類では肺を中心に寄生するが、ほぼ体外である鼻孔にもいる。以上のように、内部寄生虫を排除する正当性はかなり薄れそうなので、とりあえず、本書ではコラムで血液を主要餌資源とする動物も付記した。

　血液が液体で物理的に摂取し易く、かつ優れた栄養源であるので、たとえば、通常、体毛や羽毛を食べる昆虫ハジラミ類が、たまたまの滲み出てきた血液を「おっ、ラッキー！」といってつまみ食いする例が知られるように、人でも血液を食材にした伝統料理を受け継いでおられる人々がいる。これも特集で触れたが、伝説の妖怪ドラキュラは、残念ながら登場しないので悪しからず。以上のような布陣で、本書は現在知られうる吸血動物ほぼ全て網羅した。

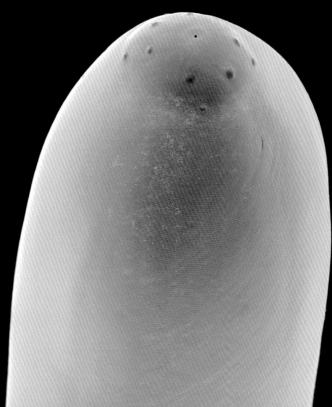

犬糸状虫*Dirofilaria immitis*の電顕写真。
写真右の飛び出しているものは生殖器
（写真提供：アフロ）。

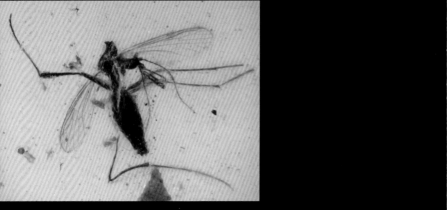

吸血動物の誕生

　蚊はいつごろから地球上に出現したのだろう？吸血はしていたのだろうか？蚊は体を硬い外殻でおおわれていないために壊れやすく、現存する標本は古くても約250年前に作成されたものである。進化という観点から種を眺めてみると250年間はとても短く、誕生や吸血の起源に迫ることはなかなか厳しい。それでも、少ないながらも化石としてわずかな資料が残っている。それをもとに、考えてみよう。

　現存する化石の中で最も古い蚊は、ミャンマーの中白亜紀の地層の琥珀の中から発見された*Burmaculex antiquus* Borkent & Grimaldiで、この琥珀の推定年代は9000万年〜1億年である（Borkent and Grimaldi, 2004）。少なくとも1億年前には蚊が出現していたと考えられる。蚊に最も近縁な昆虫はケヨソイカ科の昆虫で、短い吻をもっている。*Burmaculex antiquus*は比較的短い吻をもっており、ケヨソイカと蚊の中間的な形態的特徴を持っているとされている。詳細な観察によって、触角に二酸化炭素や体臭を検出する感覚器および吻に

は、現在の蚊のような針状の形態的痕跡を有していることから脊椎動物から、吸血していたと推測されており、同じ琥珀から見つかった爬虫類や鳥類が吸血源動物候補として挙げられている。残念ながら、*Burmaculex antiquus*はすでに絶滅している。

　化石標本の少なさから推測の域をでないが、*Burmaculex antiquus*の形態にみられる痕跡から1億年以上前からすでに何らかの動物を吸血していたと考えられる。その時代には、魚類〜哺乳類に至る現在の脊椎動物の原型となる生物はおよそ出現していたと考えられていることから、蚊は古くから様々な動物から吸血していた可能性が高い。

　現在、確認されている蚊の多くは産卵のために雌が吸血する。病原体の媒介にかかわる重要な性質であることから古くから研究者は蚊の吸血源動物に興味を持っていた。これまでの研究によると、蚊は魚類、両生類、爬虫類、鳥類、哺乳類のありとあらゆる脊椎動物から吸血することが確認されている。

比嘉由紀子

血を吸う節足動物

BLOOD-SUCKING

1

ANIMALS

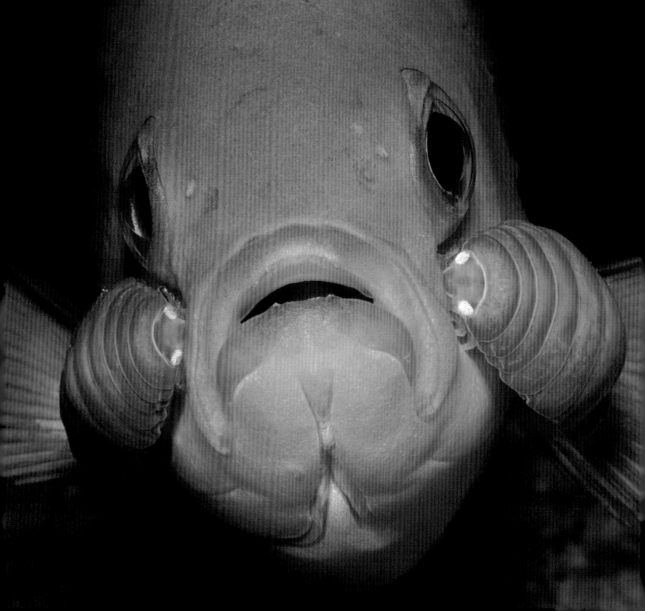

BLOOD-SUCKING
ARTHROPOD

血を吸う節足動物

1. オオクロヤブカ *Armigeres subalbatus*（写真提供：アフロ）。
2. ヒトジラミ *Pediculus humanus*（写真提供：アフロ）。
3. マダニの仲間（写真提供：アフロ）。
4. ケモノジラミの仲間（写真提供：アフロ）。
5. ゴマフアブ *Haematopota pluvialis*（写真提供：アフロ）。

レオールフィッシュ *Paranthias*
に寄生するウオノエ科の寄生性
殻類2個体。オランダ領・アン
ィル諸島（写真提供：アフロ）。

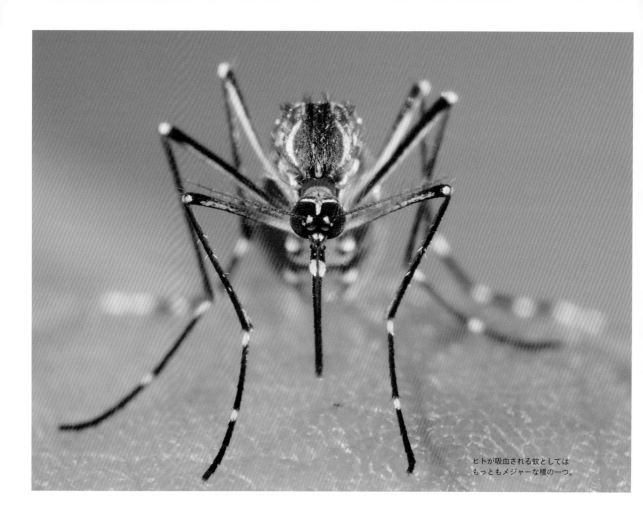

ヒトが吸血される蚊としては
もっともメジャーな種の一つ。

Aedes aegypti

ヒトには厄介な感染症の媒介動物
ネッタイシマカ

船に乗って世界各地へ

学名	: *Aedes aegypti* (Linnaeus, 1762)
分布	: 世界の熱帯、亜熱帯地域。 現在、日本には生息していないが、かつては琉球列島、 小笠原諸島や天草で採集記録がある
活動時間	: 昼間
備考	: デング熱、黄熱、チクングニア熱、 ジカウイルス感染症などを伝播する。

　黄熱ウイルス、デングウイルス、チクングニアウイルス、ジカウイルスを媒介し、世界の熱帯、亜熱帯地域に生息する普通種である。胸部背面の両脇にある1対の三日月状の白線が美しい種である。ヒトにとって

最も身近な蚊であり、且つ、形態変異が多いことから、かつて世界中で新種として記載され、30近くの異名をもつ。病原ウイルスを媒介する重要性から、学術上の混乱を避けるために、学名の正当性、妥当性、安定性が検討され、1964年に現在の学名が正式に認められた。学名は最初に発見されたエジプトにちなんでいるが、乾燥が進んだ現在においては、エジプトで本種を見つけることは難しい。

　元々はアフリカ起源と考えられており、大航海時代に船舶による人的交流、物流で世界中に分布を広げたとされる。

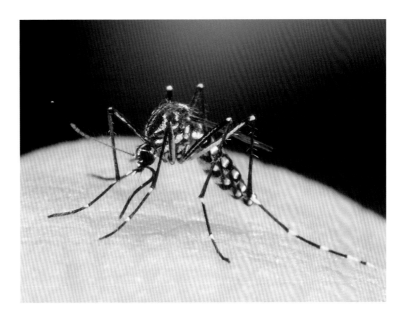

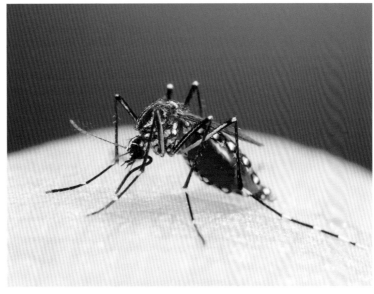

1
―
2

1. 吸血前の雌成虫。吸血時には口吻の下
唇がしなる。2. 吸血後の雌成虫。吸血に
よりお腹が赤く膨れている。

　人を好んで吸血し、屋内で吸血、吸血後の休止をす
る。屋内に水たまり（花瓶、水を溜める壺、アリトラ
ップ等）があれば、幼虫（ボウフラ）も屋内で発生する。
屋外の古タイヤ、井戸、水タンク、植木鉢の水受け、
バケツ、空き缶、空き瓶等様々な人工容器からも幼虫
が発生する。卵は乾燥に強く、水のない状態で数か月
生存することができる。干上がった人工容器に再び雨
等で水が入ると卵が孵化し、幼虫の発育が始まる。こ
れらの生態から、世界中に分布を広げ、屋内やヒトの
集まっている都市部に高密度に生息するようになった
と考えられている。

　日本では1970年代の沖縄県における記録を最後に絶
滅したと考えられている。しかし、近年、航空機を介
した日本への侵入報告が相次いでいる。寒さに対する
耐性が低いため、温帯日本への定着は容易ではないと
考えられるが、亜熱帯地域に属する琉球列島に侵入す
ると再び定着する可能性がある。また、世界各地より
殺虫剤抵抗性を発達させた集団が報告されていること
から、感染症流行時に殺虫剤散布による蚊対策が困難
になる可能性が指摘されている。地球温暖化が進めば、
琉球列島以外の地域にも本種が侵入、定着する可能性
があるため、今後も留意する必要がある。

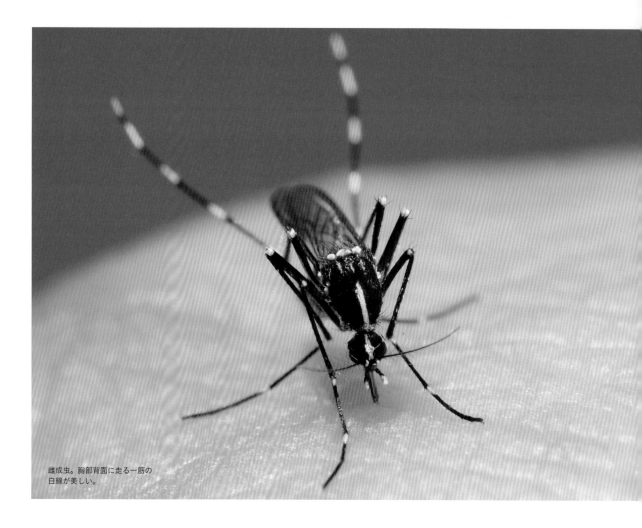

雌成虫。胸部背面に走る一筋の
白線が美しい。

Aedes albopictus

名前の通りの"白線"が特徴
ヒトスジシマカ

1 | 2　　1. ヒトスジシマカの幼虫。呼吸管を水面につけて呼吸。
　　　　2. ヒトスジシマカの蛹。蚊の蛹には口がない。餌は取らない。2本のツノのような呼吸角を持つ。

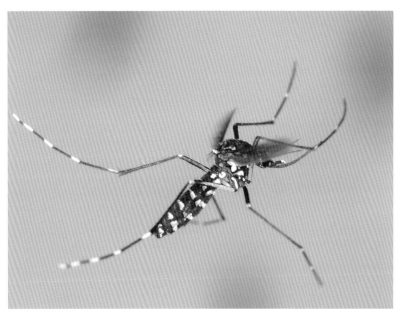

飛翔するヒトスジシマカ。

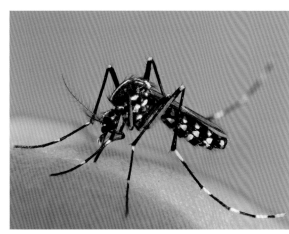

ヒトスジシマカ雌成虫。吸血に夢
中になり、静止している状態では
ヒトに叩かれることも多い。

デング熱蔓延との関係は――

学名	：*Aedes albopictus* (Skuse, 1895)
分布	：アジア
活動時間	：昼間
備考	：本来アジアの種であるが、
	1970年代以降世界中に分布が拡大した。

　デングウイルス、チクングニアウイルスを媒介し、アジアの熱帯、亜熱帯地域に生息する普通種である。胸部背面に一筋の白線があることからヒトスジシマカという和名がつけられた。日本において、庭先、公園の茂みで昼間に吸血に来る蚊は本種である可能性が高い。

　元々はアジアに分布していたが、1970年代以降、ヨーロッパ、北米、南米、アフリカと分布を広げた。現在、ネッタイシマカと分布が重なっており、世界のデング熱流行に本種がどのようにかかわっているか注目される。日本にはネッタイシマカが生息していないため、

デング熱の発生に本種がかかわっているのは間違いない。2014年に東京都代々木公園を中心に発生したデング熱流行においては、本種からデングウイルスが分離されている。

　ヒトからよく吸血するが、両生類、爬虫類、鳥類、哺乳類を吸血していることが確認されており、環境に応じて、様々な動物を吸血源としていると考えられている。

　屋外の茂みで吸血、吸血後の休止をする。古タイヤ、水タンク、植木鉢の水受け、バケツ、空き缶、空き瓶等様々な人工容器から幼虫が発生する。卵は乾燥に強く、水のない状態で1－2か月生存することができる。干上がった人工容器に再び雨等で水が入ると卵が孵化し、幼虫の発育が始まる。卵の乾燥耐性が強いことから、古タイヤの内側に産み付けられた卵が古タイヤ貿易によって世界中に運ばれたと考えられている。

ヒトスジシマカにとてもよく
似るが、僅かな違いから山田
信一郎氏が新種記載した。

Aedes flavopictus flavopictus

ヒトスジシマカとの違いは"黄色"
ヤマダシマカ

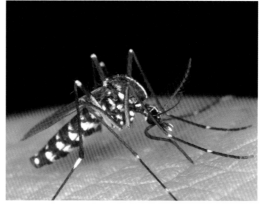

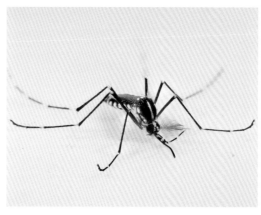

1	2
3	4

1. ヤマダシマカ（上）とヒトスジシマカ（下）の幼虫。2. 雌成虫。口吻をしならせ吸血する。3. ヤマダシマカの亜種、ミヤラシマカ。雌成虫。石垣島にて採集した個体。4. ミヤラシマカ。雄成虫。西表島にて採集した個体。

竹切り株の水溜まりからの発生が特徴

学名	: *Aedes flavopictus flavopictus* Yamada, 1921
分布	: 日本、朝鮮半島、ロシア沿岸地方南部、中国東北部
活動時間	: 昼間
備考	: 亜種でダウンスシマカ

（*Aedes flavopictus downsi* Bohart and Ingram, 1946、トカラ列島、奄美群島、沖縄諸島）、ミヤラシマカ（*Aedes flavopictus miyarai* Tanaka, Mizusawa and Saugstad, 1979、八重山諸島）がいる。

　温帯日本に分布している。成虫、幼虫ともにヒトスジシマカに形態が酷似している。翅の根元にある鱗片がヒトスジシマカでは白色で丸みがあるのに対し、本種は黄色三日月状であることで顕微鏡下で区別することができる。学名のflavは黄色というラテン語由来であり、翅の根元の黄色鱗片にちなんでいる。

　本州においては、幼虫は竹切り株に溜まった水たまりからよく発生している。北海道では古タイヤなどの人工容器からも発生することが確認されている。竹藪でヒトをよく吸血する。

Aedes riversi

日本固有の吸血蚊
リバースシマカ

"乾燥" が弱点

学名　　　: *Aedes riversi* Bohart and Ingram, 1946
分布　　　: 琉球列島、九州・四国・和歌山の沿岸
活動時間 : 昼間

　日本の固有種である。これまで琉球列島からの記録しかなかったが、九州の冬場の平均気温が比較的高めの沿岸部の常緑広葉樹を中心とした原生林に生息することが確認された。その後の調査で、四国や和歌山の同様な環境から記録されている。成虫の分散能力は低く、生息地の森林からほとんど移動しない。幼虫は森林や林の樹洞から主に発生する。森林周辺に空き缶やプラスチックバケツ等があれば人工容器からも発生する。琉球列島においては、ロックプールやクワズイモの葉腋からも幼虫が採集される。また、卵は乾燥耐性はあるものの、ネッタイシマカやヒトスジシマカに比べると乾燥下での生存率が低いことが分かっている。これらの分布と生態的特徴から、本種はかつて、日本の温暖な原生林に現在よりも広く分布しており、九州以北の集団は環境変化で分布が縮小した残存種である可能性が示唆されている（茂木, 1976）。

　成虫の胸部背面には白色鱗片の一筋の線があり、体色や大きさなどヒトスジシマカに似る。しかし、胸部側面の白色鱗片の配置および腹部側面から背面にかけて生じる白帯の位置がヒトスジシマカと大きく異なり、形態で容易に区別することができる。一方で、幼虫を区別することは顕微鏡下でも非常に困難である。

　林内ではヒトに吸血飛来する。実験的にデングウイルスを媒介することが示されているが（江下ら, 1982）、国内の限局された分布からこれまでデングウイルスの伝播に実際に関わったという報告はない。

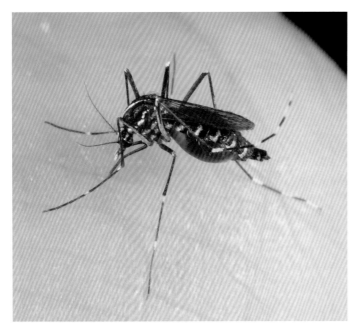

1 | 2 / 3　　**1.2.3**. 雌成虫。リバースシマカは、第二次世界大戦直後の沖縄で、アメリカ人のボハートらにより新種として記録された日本の固有種。

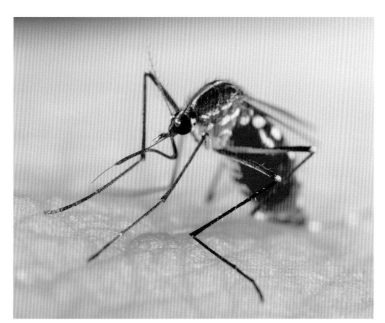

1. 雌成虫。吸血を終えて口吻を抜いた直後のシーン。通常目に見える針のような構造物（下唇）は実際には皮膚に刺さっていない。下唇の先には、皮膚に刺さっていた細い針状の口器が見える。2. 吸血中の様子。3. 吸血前の様子。

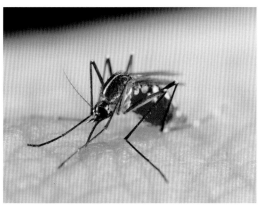

Aedes daitensis

大東島地方に固有な希少種
ダイトウシマカ

人との接触はあまり多くないが……

学名	： *Aedes daitensis* Miyagi and Toma, 1980
分布	：南大東島および北大東島（沖縄県）
活動時間	：昼間
備考	：南北大東島にのみ生息する固有種である。

　沖縄県の南大東島および北大東島にのみ生息する固有種である。胸部背面にヒトスジシマカ、リバースシマカ、ヤマダシマカのような白色鱗片の線を有す。分類学的にリバースシマカと近縁であり、形態および生態も共通点が多い。成虫は森林内でヒトがいればよく吸血する。胸部が若干黄色がかっている。幼虫は樹洞や森林内の人工容器から発生している。

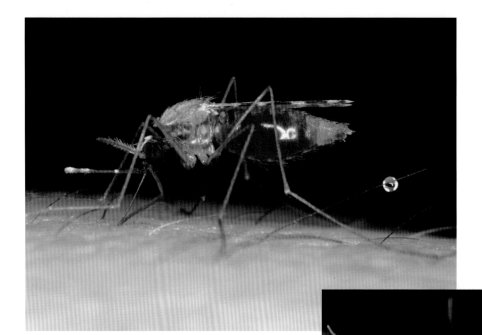

1. 雌成虫。血液を凝縮し不要な液体を排出する。
2. 雌成虫。2010年、DNA解析により、東南アジアに生息するコガタハマダラカ *Anopheles minimus* Theobald, 1901とは異なる新種として記録された。翅の白斑が僅かに異なる。

Anopheles yaeyamaensis

小型だがウシのような大型動物から吸血
コガタハマダラカ

マラリア対策で個体数減少

学名	: *Anopheles yaeyamaensis* Somboon and Harbach, 2010
分布	: 琉球列島
活動時間	: 夜間

　沖縄県先島諸島に生息する固有種である。森林に生息し、幼虫は渓流から発生する。夜間にヒトやウシなどの大型哺乳動物から吸血する。先島諸島において熱帯熱マラリア原虫を媒介したのは本種と考えられている。宮古島では、湧水面積の減少によって、わずかな渓流に低密度で発生しているのみである。八重山諸島では、人間活動の影響が少ない森林エリアで発生している。翅に白色斑があることから本種が属する分類群はハマダラカと言われている。体サイズが小さく、和名の由来となっている。

　先島諸島のマラリア対策の影響で個体数が激減したが、吸血源となるウシがいることで密度が回復している。現在、日本にはヒトマラリア原虫がいないこと、日本の固有種であること、森林に生息し環境変化で容易に絶滅する可能性があることを考えると、かつてのマラリア媒介蚊としての側面だけでなく、希少な野生生物として、発生状況を見守る必要があると考えられる。

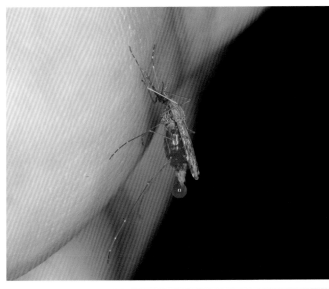

1	2
3	

1. 吸血中のシナハマダラカ雌成虫。2. 雌成虫。多くのハマダラカ属と同じく、壁などに止まる時、後半身を上げる姿勢をとる。
3. シナハマダラカの幼虫。

Anopheles sinensis

水田や渓流などの比較的広めの水域から発生

シナハマダラカ

全国に分布も北海道には……？

学名　　：*Anopheles sinensis* Wiedemann, 1828
分布　　：アジア全域。日本は北海道をのぞいた全国。
活動時間：夜間

　日本に広く分布している。九州および北海道には形態学的に酷似し、区別が難しい近縁種が複数記録されており、特に北海道においては、本種が実際に分布しているかどうかはまだよく分かっていない。かつては温帯日本でも三日熱マラリアが流行していた時期があり、本種が媒介したと考えられている。

　ウシやブタなどの大型哺乳動物からの吸血を好み、

ヒトからも吸血する。幼虫は主に水田、休耕田にたまった水たまりから発生する。琉球列島では、渓流も本種の発生源である。稀にドラム缶などの若干大きめの人工容器から発生することもある。

　コガタハマダラカに比べて大型である。翅の白色斑の形態変異が大きいことが、形態学的に近縁種との区別が難しい大きな理由の一つとなっている。

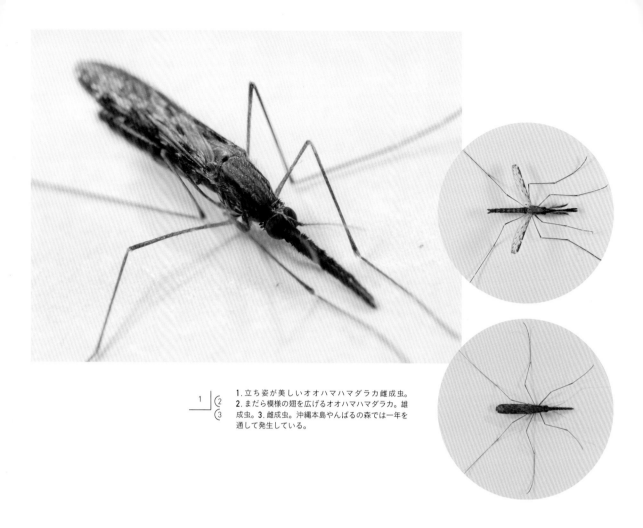

1 ┌ ②
  └ ③

1. 立ち姿が美しいオオハマハマダラカ雌成虫。
2. まだら模様の翅を広げるオオハマハマダラカ。雄成虫。**3**. 雌成虫。沖縄本島やんばるの森では一年を通して発生している。

Anopheles saperoi

絶滅の危機もある希少な種
オオハマダラカ

ハマダラカとしては非常に珍しい完全昼行性

学名	： *Anopheles saperoi* Bohart and Ingram, 1946
分布	：沖縄県（沖縄本島および西表島）
活動時間	：昼間

　沖縄県にのみ生息する固有種である。森林に生息し、幼虫は渓流から発生する。昼間にヒトやイノシシを吸血する珍しい生態をもつ。本種が実験的に三日熱マラリア原虫を媒介することを明らかにした石垣島出身の医師、大濱信賢氏の功績にちなみ、オオハマダラカの和名がつけられた。大濱氏の調査報告によると、かつては、八重山諸島の森林に普通に生息していた。しか

し、戦後の森林伐採等の環境変化で、石垣島では絶滅したと考えられている。現在では沖縄本島やんばるの森、および西表島のみに生息している。マラリアが流行していた時期の分布とマラリア患者の発生状況から本種が三日熱マラリア原虫だけでなく、熱帯熱マラリア原虫の媒介に関与していたことが示唆されている（大濱、1947）。
　一般的に蚊幼虫は形態学的に雌雄を区別することは困難とされているが、本種は雄がうす茶色、雌がこげ茶色で体色が異なり、容易に肉眼で区別することができる。

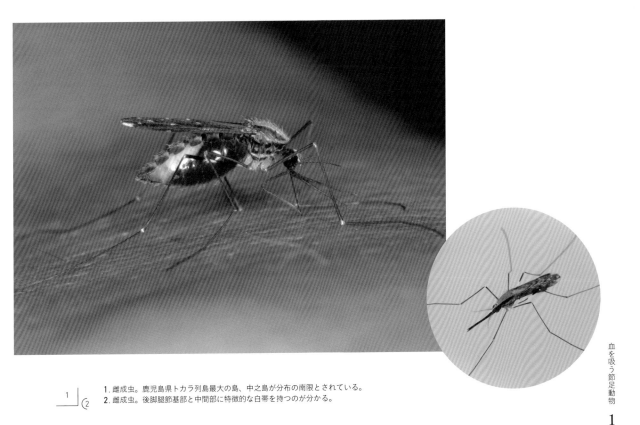

1. 雌成虫。鹿児島県トカラ列島最大の島、中之島が分布の南限とされている。
2. 雌成虫。後脚腿節基部と中間部に特徴的な白帯を持つのが分かる。

Anopheles lindesayi japonicus

山間部でひっそりと生息
ヤマトハマダラカ

細かな分類は未だ不確定

学名　　　：*Anopheles lindesayi japonicus* Yamada, 1918
分布　　　：日本全国、朝鮮半島、中国北部
活動時間：夜間（と考えられている）

　日本全国に分布している。もともとは1918年に山田信一郎によって*Anopheles japonicus*として北海道金山の標本をもとに記載された。その後の研究でインドから報告されている*Anopheles lindesayi*の亜種とされ、現在に至る。*Anopheles lindesayi*の病原体媒介能はよく分かっていないが、台湾の亜種である*Anopheles lindesayi pleccau*は実験的に熱帯熱マラリア原虫、三日熱マラリア原虫、四日熱マラリア原虫を媒介する。

　成虫の後脚腿節基部および中間部に特徴的な白帯を有し、他のハマダラカと容易に区別できる。幼虫は主に森林内の渓流沿いのロックプールから発生しているが、まれに古タイヤから採集されることもある。
　ミトコンドリアDNAのCOI領域の解析によって、日本において、遺伝的に大きく異なる3グループが存在することが近年明らかになった。中央アルプス付近を境界として、東日本、西日本、琉球列島のグループに分けられる。琉球列島のグループは*Anopheles lindesayi pleccau*と遺伝的に同じグループに入る（Imanishi et al., 2018）

Aedes japonicus

黄金色の鱗片が美しい
ヤマトヤブカ

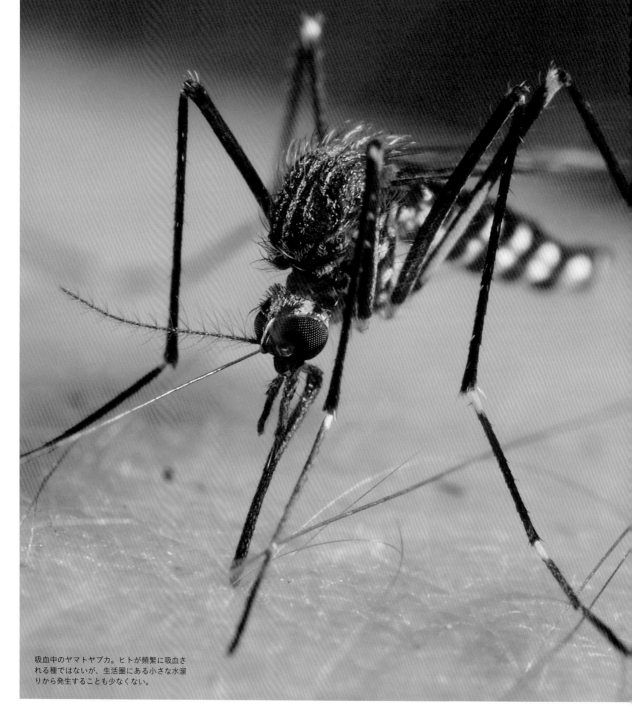

吸血中のヤマトヤブカ。ヒトが頻繁に吸血される種ではないが、生活圏にある小さな水溜りから発生することも少なくない。

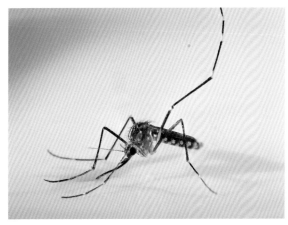

$\frac{1}{2}$ 1. ヤマトヤブカの亜種のサキシマヤブカ。雄成虫。石垣島にて採集した個体。2. ヤマトヤブカの亜種のサキシマヤブカ。雌成虫。西表島にて採集した個体。

北米やヨーロッパでも定着

学名	:	*Aedes japonicus* (Theobald, 1901)
分布	:	日本全国、朝鮮半島、北米、ヨーロッパ
活動時間	:	昼間
備考	:	亜種でアマミヤブカ(*Aedes japonicus amamiensis* Tanaka, Mizusawa and Saugstad, 1979、奄美大島)、サキシマヤブカ(*Aedes japonicus yaeyamensis* Tanaka, Mizusawa and Saugstad, 1979、八重山諸島)がいる。

　日本全国に分布している。成虫は胸部、腹部、脚に白色鱗片を有し、ヤブカ特有の縞模様がある。胸部背面には金色鱗片が筋状についており、美しい。成虫は基本的にヒトを好んで吸血するわけではないが、地域によってはヒトによく吸血飛来することが報告されている。ウエストナイルウイルスや日本脳炎ウイルスの媒介能があることが報告されている。

　幼虫は神社仏閣によくある手水鉢、樹洞、古タイヤ、人工容器から発生している。同じような発生源は低地ではヒトスジシマカが多いが、少し、山際に入ると本種が多くみられるようになる。卵は乾燥耐性がある。

　古タイヤ貿易でヒトスジシマカと同時期に北米およびヨーロッパに運ばれ、定着したことから、注目を浴びている種である。

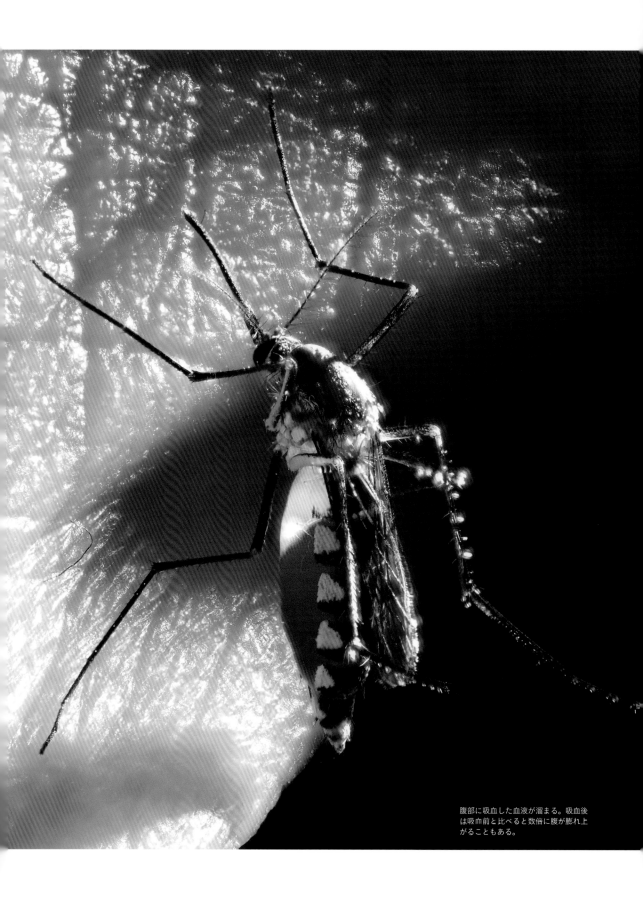

腹部に吸血した血液が溜まる。吸血後は吸血前と比べると数倍に腹が膨れ上がることもある。

Armigeres subalbatus

国内唯一のクロヤブカ属
オオクロヤブカ

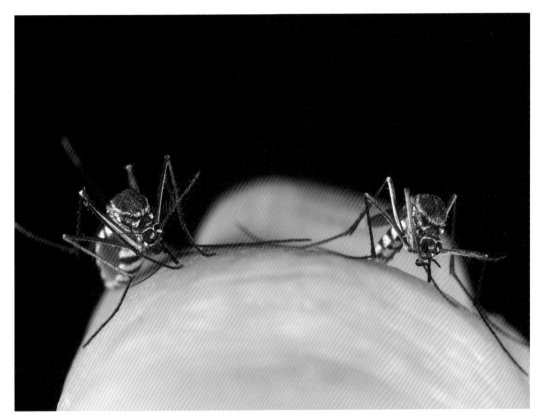

撮影者の左親指に止まる2個体のオオクロヤブカ雌成虫。

幼虫が"前方に進む"珍しい習性

学名	: *Armigeres subalbatus* (Coquillett, 1898)
分布	: 日本、アジア
活動時間	: 昼間

日本から東南アジアにかけて分布している。基産地は日本である。クロヤブカ属の分布の中心は熱帯アジア地域で、日本からは本種1種のみであり、北は青森から南は沖縄まで分布している。2017年に北海道函館市から記録されたが（前川ら、未発表）、その後の調査では採集されておらず、北海道には定着していないと考えられている。

成虫の腹部と胸部の側面の白色鱗片以外は体中が黒色鱗片でおおわれている。体色と一般的な蚊（例：ヒトスジシマカ）と比べて大きいことから、オオクロヤブカと和名がつけられた。

薄暮に激しくヒトを襲い、ジーンズの上からでも吸血する。実験的に日本脳炎ウイルスの媒介能があることが示されており、また、犬フィラリアの潜在的媒介者であるとされている。幼虫は肥溜めのような有機質に富んだ水たまりから発生する。蚊の幼虫は基本的に後方にしか進まないが、クロヤブカ属幼虫は前方にも進めるという大変珍しい習性をもつ。

1	2
	3

1. 雌成虫。胸部背板が白鱗の帯で縁取られている。2. 雄成虫。蚊は雌雄共に花の蜜や樹液を吸う。3. オオクロヤブカは幼虫で越冬する。

 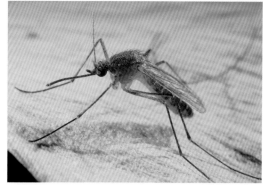
 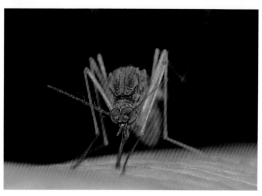

1	2
3	4

1.2. アカイエカ。雌成虫。成虫で冬を越すアカイエカは、秋に交尾をし、春に卵を産む。3.4. チカイエカ。雌成虫。東京で初めてチカイエカが発見されたのは、1942年、東京大学弥生キャンパスである。構内で採集した幼虫たちをガラス容器に入れ放置してしまったところ、幼虫は成虫になり卵を産んでいた。吸血せずに産卵することが確認された。

Culex pipiens complex

夏の夜長に最も悩まされる
アカイエカ群

形態での判断は非常に困難

学名	: *Culex pipiens pallens* Coquillett, 1898（アカイエカ）、 *Culex pipiens* (Linnaeus, 1758) （チカイエカ。最初の産卵を無吸血で行うことができる。 基本種であるトビイロイエカの生態型と考えられている。 トビイロイエカはイエカ属の模式種。 イエカ属はカ科の模式属である。）、 *Culex quinquefasciatus* Say, 1823（ネッタイイエカ）
分布	: 日本全国。関連種が寒冷地から熱帯地域まで 世界中に分布。
活動時間	: 夜間（チカイエカは全日）
備考	: 模式種：新属の記載のときに基準になった種。

日本全国に分布している。日本にはアカイエカ、チカイエカ、ネッタイイエカの3種が生息している。

アカイエカとチカイエカは鹿児島以北、ネッタイイエカは亜熱帯地域に属する琉球列島と小笠原諸島に分布している。最近は、鹿児島以北においてもネッタイイエカの報告事例がある。これら3種は形態学的にほとんど区別がつかず、唯一、雄の交尾器に違いがみられる。DNAの塩基配列には違いが見つかっており、分布や塩基配列の違いで種の判別をすることが多い。アカイエカの分類学的取り扱いについては世界の研究者間で議論があるが、ここではこれまでの分類学、生態学および分子生物学的研究に基づき、*Culex pipiens* の亜種として取り扱う。体色はヤブカ

1	2
3	4
5	

1. チカイエカの幼虫。お尻の先の呼吸管がヤブカ属より若干長い。2. チカイエカの雌成虫。3. ネッタイイエカの羽化瞬間を捉えた一枚。生まれたての成虫は、色が薄く青みがかる。4. 羽化直後のネッタイイエカ。体が軽く水面に立つ姿もしばしば見られる。5. ネッタイイエカの飛翔。

血を吸う節足動物

1

CHAPTER

BLOOD-SUCKING ARTHROPOD

と異なり、茶色である（赤くはないが赤っぽいということでアカイエカが和名の由来となった）。

成虫は3種とも鳥類およびヒトをはじめとする哺乳動物からよく吸血することが雌体内の血液のDNA解析で明らかになっている（Sawabe et al., 2010, Tamashiro et al., 2011）。ヒトのフィラリアやウエストナイルウイルスを媒介することが知られている。特にウエストナイルウイルスは鳥類にも感染する人獣共通感染症であり、アカイエカ群の鳥類と人吸血嗜好性はウイルス伝播に大きくかかわる重要な習性と考えられている。

幼虫は雨水桝やドラム缶などの人工容器から発生している。チカイエカは名前のとおり、地下に存在する水たまりや空間で発見されることが多いが、地上部でも採集される。

アカイエカは夏に活動し、冬は成虫で休眠越冬するが、チカイエカは比較的暖かい地下を利用することから、活動が鈍るものの冬に休眠せずに通年発生すると考えられている。冬季の暖かい日に蚊に刺されるとしたらチカイエカと考えて間違いない。ネッタイイエカは南方系の種であり、熱帯、亜熱帯地域に生息することから、基本的に休眠せずに年中発生する。

雌成虫。口吻の根元に中央のとは別の
白色鱗片がみられる。

Culex tritaeniorhynchus

口吻根元の白色鱗片が特徴
コガタアカイエカ

1
2

1. 吸血前のコガタアカイエカ雌成虫。
2. 吸血中のコガタアカイエカ雌成虫。

成虫は大型哺乳類の血を好む

学名	: *Culex tritaeniorhynchus* Giles, 1901
分布	: 日本全国。 東は日本からアフリカに至るまで世界中に広く分布。
活動時間	: 夜間
備考	: 2021年にこれまで分布が確認されていなかった オーストラリアで発見された。

　日本全国に分布している。吻の真ん中にある白帯と白帯よりも基部背面にあるエキストラの白色鱗片が特徴で形態的に酷似する近縁種と容易に区別することが

できる。成虫はブタやウシなどの大型哺乳動物を好んで吸血する。時にヒトからも吸血し、その際に、日本脳炎ウイルスを媒介する。

　体サイズが小型であること、体色が赤褐色であることが和名の由来となっている。アカイエカと形態学的に似ているわけではない。

　幼虫は主に水田や休耕田に溜まった水たまりで発生する。

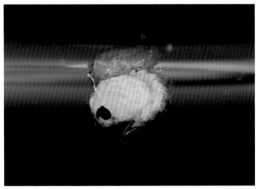

1 | 2
3 |

1. 幼虫を上から見た様子。体が赤みがかっている。2. 幼虫の側面の様子。口周りの毛を動かして水流を作り、餌をとっている。3. 蛹。側面から見た様子。呼吸角が長めである。

Ficalbia ichiromiyagii

蛹の長い呼吸角が美しい
オキナワエセコブハシカ

吻の先の膨らみが特徴

学名 ： *Ficalbia ichiromiyagii* Toma and Higa, 2004
分布 ：沖縄県西表島
活動時間：夜間
備考 ：最近、船浦の湿地での発生も確認された。

　沖縄県西表島にのみ生息する固有種である。本種は1978年7月に西表島船浦の湿地に設置されたライトトラップで雄3個体が初めて採集され、その標本をもとに2004年に新種記載が行われた (Toma and Higa, 2004)。1978年以降、同地における頻回の調査にかかわらず、追加標本は得られないままであったが、2009年および2011年に西表島大富の湿地で採集された幼虫およびその幼虫から羽化した成虫の形態を精査したところ、1978年に採集された雄個体と同一種であること

が判明した。その時の標本をもとに2012年に幼虫、蛹および雌成虫の再記載が行われた (Higa et al., 2012)。
　日本のエセコブハシカ属の種は本種のみであり、成虫の吻の中央部から先にかけて膨らんでいるところがコブハシカ属 *Mimomyia* と似ることからエセコブハシカ属と和名が付けられた。学名は今から40年以上前に本種を採集、発見した琉球大学名誉教授の宮城一郎氏に献名された。
　幼虫は原生林内の湿地から発生する。蛹の呼吸角が長く美しい。採集記録が少なく、成虫および幼虫の生態はほとんど分かっていない。西表島で採集された吸血雌の血液からリュウキュウイノシシのDNAが検出されている (Tamashiro et al., 2011)。

国内で唯一確認された野生の個体をとらえた貴重な一枚。右上にはこの蚊のターゲットと思われるシリアゲアリが見える（2018年6月24日、西表島）。

Malaya genurostris

"非吸血性" の珍しい蚊
オキナワカギカ

シリアゲアリから栄養を取得

学名	：*Malaya genurostris* Leicester, 1908
分布	：琉球列島、東南アジア、ニューギニア、オーストラリア北部
活動時間	：昼間
備考	：琉球列島においては幼虫はクワズイモの葉腋から発生することがほとんどであるが、与那国島ではバナナの葉腋からの採集記録がある。

　日本では琉球列島にのみ生息している。頭部、胸部側面、腹部にシルバーの鱗片がついており、他の部分の黒色鱗片とのコントラストがとても美しい。吻の先が膨らんで、剛毛がたくさん生えている。本種は他の

蚊と違って吸血せず、シリアゲアリの口に自身の吻をつっこんで得られる栄養分を生命維持のエネルギー源とし、産卵のための卵を作ると考えられる。
　幼虫はクワズイモやバナナの葉腋から発生し、わずかな水でも発育することができる。幼虫や蛹は発生源で普通に採集することができるものの、野外で成虫を見つけることは非常に希である。上の写真は、国内で唯一確認された野生の個体をとらえた一枚である（2018年6月24日、西表島）。シリアゲアリから栄養分をもらっているシーンは世界からわずか4例あるのみで、その生態はほとんど分かっていない。

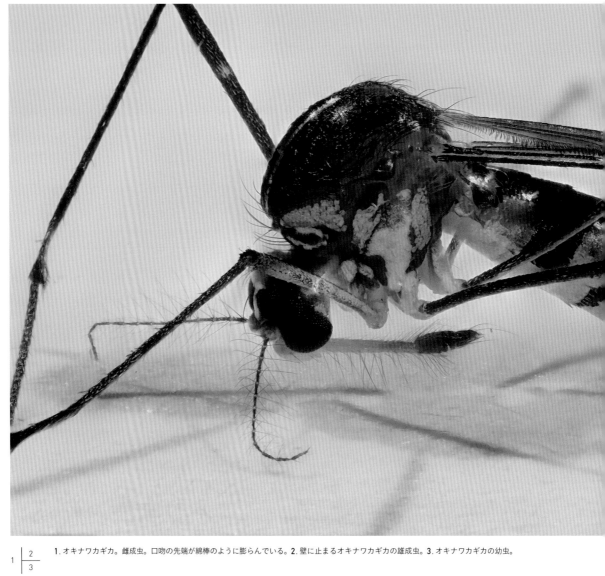

1 | 2 |
  | 3 |

1. オキナワカギカ。雌成虫。口吻の先端が綿棒のように膨らんでいる。2. 壁に止まるオキナワカギカの雄成虫。3. オキナワカギカの幼虫。

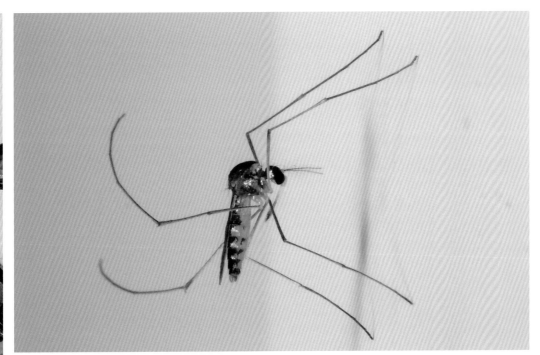

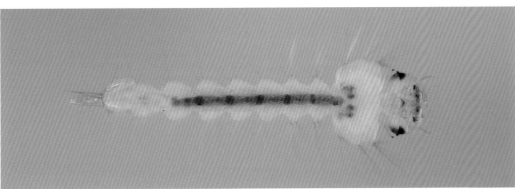

1 | 2 | 3

1. オキナワカギカの幼虫が発生することの多いクワズイモ。西表島。
2. クワズイモの葉腋。この中から幼虫が発生する。3. 羽化直後の
オキナワカギカ雌成虫。

虎斑模様が美しい。「カクイカ」は幼虫
時に見られる行動によるもの。

Lutzia vorax

脚の"虎斑"が和名の由来

トラフカクイカ

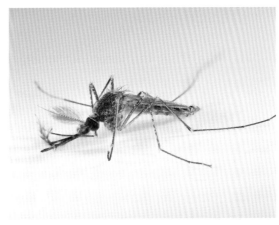

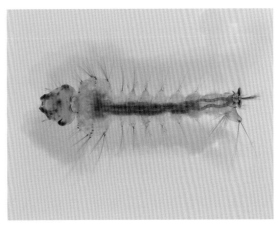

1
―
2

1. 雄成虫。2. 幼虫。同じく他の蚊幼虫を食べるオオカの幼虫より小さいが攻撃的な傾向がある。同所的にいる蚊の幼虫が少なくなると、共食いをすることも。

病原体媒介種の抑制に貢献

学名　　：*Lutzia vorax* (Edward, 1921)
分布　　：日本全国、アジア、オーストラリア区
活動時間：夜間

　日本全国に分布している。基産地は東京である。成虫の脚に虎斑（とらふ）模様があること、幼虫期に他の蚊幼虫を食べること（蚊を食う蚊）ということからトラフカクイカと和名が付けられた。

　成虫は鳥類を好んで吸血することから、ヒトへの病原体媒介には関与する可能性は低い。体内からトリマラリア原虫の検出報告がある（Ejiri et al., 2009）。

　幼虫は、プラスチック容器、手水鉢、雨水桝といった人工容器や樹洞、ロックプールから発生している。同所的に発生しているヒトスジシマカやアカイエカなどの他の蚊種の幼虫を多数捕食することから、本種がいることで病原体媒介種の密度が増えすぎずに自然にコントロールされていることも多い。

　沖縄県には似たような生態をもつ同じカクイカ属のサキジロカクイカ *Lt. fuscana* (Wiedemann, 1820) も生息しているが、両種は発生時期が異なり、同じ資源をめぐって競合しにくいことが報告されている（Tokuyama et al., 1987）。

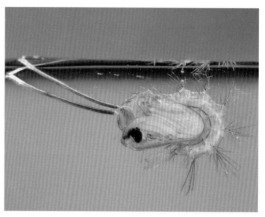

1	2
3	4

1. 雌成虫。体を覆う白色鱗片が美しい。2. 雄成虫。吻の先半分が膨らんでいる。3. 幼虫。呼吸管が刀のように反っていてかっこいい。
4. 蛹はとても長く美しい呼吸角を持つ

Mimomyia luzonensis

生態が謎に包まれている
ルソンコブハシカ

研究記録はほぼなし

学名：*Mimomyia luzonensis* (Ludlow, 1905)
分布：琉球列島、アジア全域

日本では琉球列島にのみ生息している。成虫の吻の先半分がコブのように膨らんでいること、基産地であるフィリピンのルソン島（首都マニラがある島）にちなみ、ルソンコブハシカと和名が付けられた。

研究がほとんどなくその生態は不明な点が多いが、沖縄本島で採集された吸血雌を調べたところ、ウシのDNAが検出されている（Tamashiro et al., 2011）。

幼虫は湿地から発生している。蛹の呼吸角が体長と同程度で非常に長く美しい。

雌成虫。白や乳白色の
鱗片が美しい。

雌成虫。名前の由来にもなっ
たようにすね（前、中脚第1フ
節）が長い。

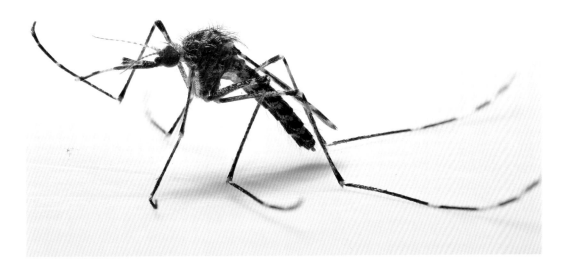

Orthopodomyia anopheloides

非常に長い脚の一部が特徴
ハマダラナガスネカ

未だ不明な吸血源

学名：*Orthopodomyia anopheloides* (Giles, 1903)
分布：本州、四国、九州、琉球列島、アジア全域

　本州、四国、九州、琉球列島に生息している。翅を
含む体の多くの部分が白色鱗片で斑状に覆われ、また、
脚の一部が著しく長いことがハマダラナガスネカの和
名の由来となっている。

　幼虫は都市部から郊外にかけての緑地帯の樹洞、人
工容器から発生している。琉球列島では樹洞で普通に
見られ、捕食種であるオオカ幼虫と同所的にいること
も多いが、本種は他の蚊種幼虫と比べて捕食されにく
いようで、最後まで生き残っていることが多い。

　成虫の吸血源動物などはほとんど分かっていない。

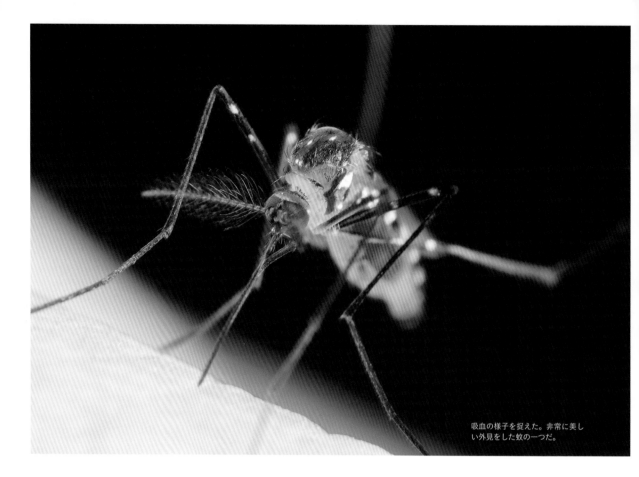

吸血の様子を捉えた。非常に美しい外見をした蚊の一つだ。

Tripteroides bambusa

鮮やかな鱗片が非常に美しい
キンパラナガハシカ

幼虫は硬い剛毛に覆われたユニークな姿

学名	: *Tripteroides bambusa* (Yamada, 1917)
分布	: 日本全国、東アジア
活動時間	: 昼間
備考	: 亜種でヤエヤマナガハシカ (*Tripteroides bambusa yaeyamensis* Tanaka, Mizusawa and Saugstad, 1979, 琉球列島) がいる。

日本全国に生息している。基産地は東京である。成虫は体中がゴールド、シルバー、メタリックブルーの鱗片に覆われており、とにかく美しい。吻が体と同程度に長く、長いくちばしの意味で属の和名がナガハシカとなっている。腹部腹側がゴールドの鱗片に覆われていることから、キンパラナガハシカと名付けられた。吸血習性はよく分かっていないが、琉球列島や九州で

は林内でヒトに吸血飛来することがある。ほか、爬虫類からの吸血が報告されている。

ナガハシカ属は東南アジア、オーストラリア区を中心に約100種の記録があり、幼虫は竹切り株、樹洞、ウツボカズラからの発生がほとんどである。本種の幼虫も竹切り株から多く発生しており、種小名の*bambusa* も竹とのかかわりにちなんでいる。加えて森林や緑地帯のプラスチック容器や古タイヤなどの人工容器も本種の発生源である。本種の幼虫はヒトスジシマカやオオクロヤブカと同所的に発生しているが、飢餓に強く、水中の栄養分をヒトスジシマカやオオクロヤブカに消費されても時間をかけてゆっくり発育する。体表は硬い剛毛でおおわれており、ウニやたわしのような丸々とした風貌で愛くるしい。

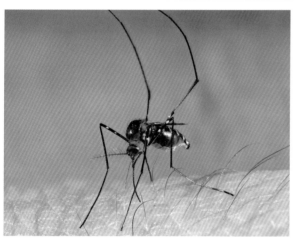

1	
2	3

1. 吸血前の雌成虫。トレードマークである腿節の二つのシルバースポットがよくわかる。
2. 吸血中の雌成虫。3. 幼虫。体中に剛毛が生えている。

Uranotaenia ohamai

淡水性カニの巣穴が発生源
シロオビカニアナチビカ

カエル類が主な吸血源

学名 : *Uranotaenia ohamai* Tanaka, Mizusawa and Saugstad, 1975
分布 : 八重山諸島
活動時間 : 夜間

　八重山諸島(石垣島、西表島)のみに生息する固有種である。成虫は非常に小型であり、属の和名がチビカとなっている。成虫腹部の各節に白帯があること、幼虫が淡水性カニの巣穴(カニ穴)から発生していることが和名の由来となっている。

　分布が限局されており、研究が少ないことから生態はほとんど明らかになっていないが、吸血雌の血液を調べたところ、両生類、魚類のDNAが検出され、これらの動物を吸血していると考えられている(Tamashiro et al., 2011, Toma et al., 2014)。その後の調査で、リュウキュウアカガエル、オオハナサキガエル、サキシマヌマガエル、アイフィンガーガエル、ヤエヤマアオガエル、ヒメアマガエルを吸血していることが明らかになっている(Toma et al., 2014)。カエルの鳴き声トラップで多数採集されており、カエルの鳴き声を手掛かりに吸血源動物のいる場所を探索していることが示唆されている。

　幼虫は森林内の渓流脇のカニ穴から普通に採集される。成虫は小型であるが、幼虫期は一般的な大きさである。

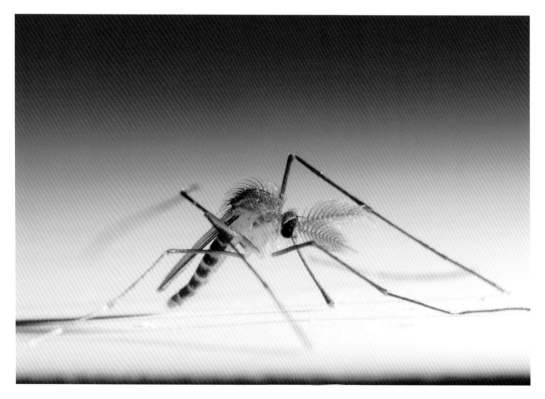

シロオビカニアナチビカの雄成虫。

1
—
2
—
3

1. 淡水性のカニ穴で休むシロオビカニアナチビカ。この写真の中に7個体いる。2. カニ穴の入り口。3. カニ穴の深い水たまりから、特殊な器具と肺活量を使い、チビカ幼虫を採集する。

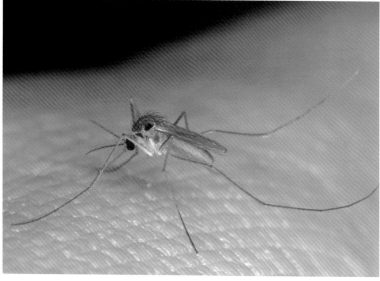

1. カニ穴内の個体を撮影したもの。2. 日本の固有種のイリオモテチビカ *Uranotaenia tanakai* Miyagi and Toma, 2013 の幼虫。学名は日本産蚊科の分類学的研究に貢献した田中和夫博士に敬意を表して命名されたものだ。3. 同じチビカ属のフタクロホシチビカ雌成虫。胸部の左右の黒色斑点が和名の由来となっている。

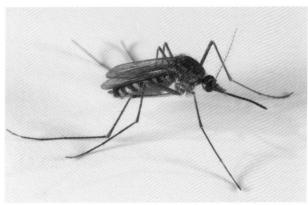

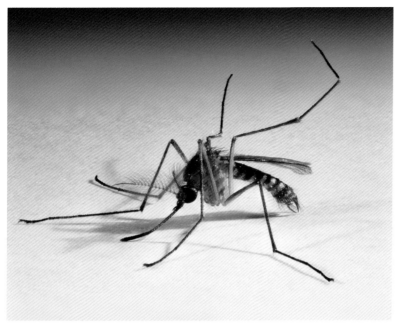

1. 雄成虫。腹部末端の生殖器が著しく突出することが和名「フトオ（太尾）」の由来となっている。2. 幼虫の発生源である森林内の水たまり。3. 雌成虫。

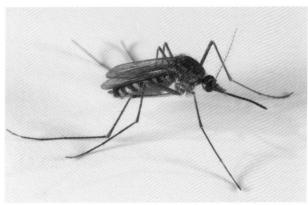

Verrallina atriisimilis

西表の森林帯では厄介
アカフトオヤブカ

幼虫は発育が早い

学名	: *Verrallina atriisimilis* (Tanaka and Mizusawa, 1973)
分布	: 西表島
活動時間	: 昼間

西表島のみに生息する固有種である。本種の属の雄成虫の腹部末端が大きく（太い尾）、体色が赤身がかっていることが和名の由来となっている。西表島の森林内で激しくヒトを吸血するが、普段は小型の哺乳動物を吸血している可能性が高い。病原体の媒介能は不明である。

幼虫は森林内に一時的に出来る水たまり（地面のくぼみや轍など）に発生する。このような水たまりは1週間前後で干上がることも多いため、本種の幼虫は発育が早い。

雄成虫。口吻が下方に湾曲している。

Toxorhynchites manicatus yaeyamae

その大きさから「大蚊」に
ヤエヤマオオカ

パープル、シルバー、グリーンの鱗片

学名	: *Toxorhynchites manicatus yaeyamae* Bohart, 1956
分布	: 八重山諸島
活動時間	: 昼間
備考	: 亜種でヤマダオオカ(奄美諸島)がいる。吸血しない。

八重山諸島のみに生息する固有種である。本種の属は、ヒトスジシマカやアカイエカなどの一般的な蚊に比べて体が非常に大きいことから、オオカ属の和名の由来となっている。体中がメタリックのパープル、シルバー、グリーンの鱗片に覆われており大変美しい。オオカ属の蚊は産卵のために吸血を必要としない珍しい種である。生命維持のためのエネルギー源および産卵のための栄養源として花の蜜を利用している。

幼虫は森林内の樹洞やプラスチック容器から発生する。同所的に発生している他の蚊種や生物を捕食している。幼虫、蛹も他の蚊種に比べて著しく大きい。

1	2
3	
4	5

1. ヤエヤマオオカの幼虫。体長は約1.5cm。大きい。2. ネッタイシマカ(左)とヤエヤマオオカ(右)の蛹。3. ヤエヤマオオカの幼虫。4. ヤエヤマオオカと同じオオカ属のトワダオオカ *Tx. towadensis* (Matsumura, 1916)、雌成虫。屋久島以北に生息。青紫色の体色が美しい。5. ヤエヤマオオカ雌(左)とネッタイシマカ雌(右)。

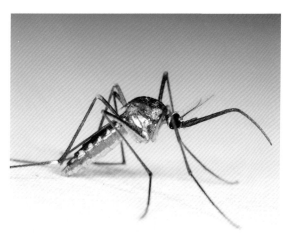

Coquillettidia crassipes

幼虫は湖沼から発生

ムラサキヌマカ

幼虫の呼吸管は水草の根に刺す形状

学名　　：*Coquillettidia crassipes* (Van der Wulp, 1881)
分布　　：琉球列島、東アジア、東南アジア、オーストラリア区
活動時間：夜間
備考　　：同じコブハシカ属のキンイロヌマカ
　　　　　(*Coquillettidia ochrasea* (Theobald, 1903)) は
　　　　　本州からも記録があり、和名のとおり
　　　　　体中がゴールドの鱗片に覆われ大変美しい。

日本では琉球列島に生息している。成虫は体中を紫色の鱗片に覆われており大変綺麗である。幼虫が湖沼から発生していることからムラサキヌマカの和名をもつ。

幼虫の呼吸管の形態が他の種と著しく異なっており、先がとがっている。水面に上がって呼吸をするのではなく、湖沼に繁茂する水草の根に呼吸管を刺して空気を取り込んでいると考えられている。水草と同時の輸送が容易ではなく、飼育が難しい。そのため、研究報告が少なく、生態は不明な点が多い。

Culex infantulus

触覚の"フサフサ"がユニークな

フトシマツノフサカ

自然下での吸血源は不明も

学名：*Culex infantulus* Edward, 1922
分布：日本全国、アジア
備考：冬季に石川県金沢市の洞窟から越冬個体の採集記録がある。

日本全国に分布している。成虫雄の触角に一部フサフサした毛が生えていることから、ツノフサカ（以前はフサカ）と呼ばれている。生態は不明な点が多いが、両生類（カエル）、爬虫類、実験動物であるヒヨコやマウスから吸血したという報告がある（Miyagi, 1972, Tamashiro et al., 2011）。

幼虫は人工容器、湿地、渓流、淡水生カニ穴など幅広い環境に適応して発生している。

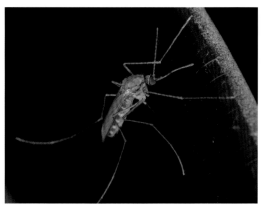

1 | 2
3 | 4

1.フトシマツノフサカの幼虫。お尻の先の呼吸管が長い。キュートなお顔。2,3.雌成虫。フトシマツノフサカの生態は不明な点が多いが、ブラックライトトラップでの採集記録があることから、夜間に活動していることが推測される。4.同じイエカ属ツノフサカ亜属のクロツノフサカ *Cx. bicornutus*（Theobald, 1910）、雄成虫。前足付け根の前面は灰色の鱗片で覆われる。雄触角の頭部から数えて7節目あたりに剛毛がある。

複眼に美しい縞模様を持つ*Tabanus lineola*。この縞模様はメス特有のものだ。主に家畜類がこのアブの寄生対象となる(写真提供：アフロ)。

CERATOPOGONIDAE, GNAT, HORSEFLY, FLY

大群で大型哺乳類を吸血
ヌカカ・ブユ・アブ・ハエ

アレルゲンにもなるヒトにも厄介な吸血昆虫

ここでは吸血性双翅目のうち、既に述べた蚊以外のヌカカ類、ブユ類、アブ類およびハエ類について解説する。これら4グループの吸血性に着目すると、ハエ類以外は、すべて蚊同様、雌のみが血液を摂取する。その意義も蚊と同様で産卵のためである。一方、ハエ類では、腐肉などから血液を普段の餌資源として活用するように適応したので雌雄とも吸血する。

【ヌカカ類】：ヌカカ (biting midge) の特徴はサイズが小さく、特に、吸血性の代表種を含む*Culicoides*属で

は体長1から2mmである。旧称「糠蠅」から米糠のように小さい蚊という意味なのだろう。それはともかく、防虫網を簡単に通り抜けるので、家禽や家畜の健康を守る上でとても厄介である。何しろ、ヌカカは数万から数十万の単位で鶏や牛などを襲うので、彼らに強度のストレスを与える。また、小さいくせに吸血量もすさまじく、飽血時の体重の2倍以上の血液を奪う。つまり、吸血した途端、余分な水分を唾液と尿として排泄するのだ。加えて、体内で血液をどんどん濃縮して

1
---
2 │ 3

1. ヌカカの大群。家畜には大きなストレスとなる（写真提供：アフロ）。
2. ヌカカの一種 Culicoides nubeculosus。感染症の媒介としてもヒトにとっては厄介な動物だ（写真提供：アフロ）。
3. ヒトの血を吸って膨らんだブユの一種（写真提供：アフロ）。

いるのだ。そして、出て来た唾液は動物にとってアレルギーを起こす原因物資（アレルゲン）となる。また、唾液の中には原虫や寄生線虫の幼虫が潜み（この場合、ヌカカは中間宿主）、血液を吸うための器官（吻）に付着したウイルスがうつされていくる（こちらの場合は機械的な伝播者）。ヌカカは基本的に夜行性だが、飼育動物を襲うのは図々しくも日中でも攻撃する。本当に始末が悪い。

日本ではニワトリヌカカ Culicoides arakawae とウ

シヌカカ C. oxystoma が獣医学的に問題視される。前の種が朝鮮半島から中国・東南アジア・インドに、また、後の種はやや広く中近東やニューギニア・豪州北部にまで分布する。それぞれの吸血源は、和名の通り、ニワトリヌカカが鶏を含む鳥類全般、ウシヌカカが牛となる。両種の姿はよく似ているが、翅にある白斑の形状が異なる。そう、ヌカカ類の特徴の1つは翅に白斑を有することであり、種の鑑別点ともなる。

アブの一種*Chrysops relictus*。独特の形の触覚特徴（写真提供：アフロ）。

アカウシアブ*Tabanus chrysurus*。一見するとハチのようにも見える姿をしている（写真提供：アフロ）。

【ブユ類】：ブユ（black fly あるいは gnat）の体長2から5mmで、まず、ヌカカ類より大ぶりである。また、蚊のようなスレンダーな外観と比較すると全体的に寸詰まり、ずんぐり的である。そのような印象を持たせるのは、相対的に胸が図太いからである。さらに、吸血のための器官（吻）もその使い方も、蚊と比較するとエレガントさを欠く。ブユ類の吻は、側面から観察するとよく判るが、刀身が幅に比して短いナイフのような感じで、これを皮膚表面に傷つけ滲み出た血液を吸うのである。細長い吻を熟練した看護師のようにピンポイントで血管に刺し込むのとはわけが違う。

何となくドン臭さが漂うブユ類だが、それは自然児だからだろう。彼らは自然環境が豊かな土地でないと生き残れない。幼虫や蛹が、ガレ場のような流れの速い清流に生息するからだ。そして、彼らは獲物が寝ている夜ではなく、早朝と夕方に、正々堂々、襲う。清々しい生き様と言えないことも無い。日本では本州から九州の山裾から平地にかけ生息するヒメアシマダラブユ*Simulium venustum*が人を激しく襲う。一方、家畜を吸血源とするのは、別種の*Simulium*属ブユ類のほか、別属でやや大型（体長3.4から3.6mm）のキアシオオブユ*Prosimulium yezoense*である。こちらは種小名の示すように北海道を含めた日本全国に生息する。

【アブ類】：アブ（horse fly あるいは deer fly）の体長は3cmに達する程、大きな昆虫である。なので、飛んで来たら、つい警戒をしてしまうが、アブ類には非吸血性のミズアブやハナアブの仲間もいることもお忘れなく。さて、少し落ち着いたら、アブ類の止まった状態をそっと観察してみよう。美しい色彩の複眼が良く目立ち、実に魅力的な昆虫であることが判る。ただし、これは生時だけで、死んでしまうと複眼は黒ずんでしまう。しかし、何と云ってもアブ類の特徴は触角である。構成する節の数が、他の双翅目昆虫と比較して少なく、それぞれが独特の形態を示し、分類の縁となる。

さて、吸血のための器官（吻）だが、動物の皮膚を切り裂き、出血してきた血液を吸い取る構造をしている。この器官の表面に各種ウイルスを付着させ、それが機械的に伝播されることになる。したがって、放牧された牛の健康管理では問題視されている。そのため、牧野衛生上、アブ類の生態は比較的良く研究されている。まず、アブ類の虫卵は卵塊という形で苔や木の葉などの上に産み付けられる。幼虫は種によって生息場所が異なり、日本全土に分布する種ではアカウシアブ*Tabanus chrysurus*が渓流沿いの砂、シロフアブ（*T. trigeminus*）が水田の畔、クロキンメアブ*Chrysops japonicus*が溜池の泥などである。1回の吸血量はアブ体重の1から1.5倍（60から500mg）となる。

襲う動物種を選り好みする傾向はないものの、チャレンジャーなのか、大型の哺乳類が犠牲になる。特に、牛や馬などの家畜を襲う場合、これも種によって吸血部位が決まっており、先程の種ではアカウシアブが背部、シロフアブが下腹部・四肢、クロキンメアブが何と顔面である。何度も云うが、アブ類は家畜の天敵なので駆除をするために努力が払われている。たとえば、放牧地に蚊帳を張り、そこにドライアイスを置いてそこから発生する二酸化炭素による誘引して捕殺する方法がある。すなわち、アブ類が動物から発せられる、このガスにより誘引される生態を応用したものだが、手間と費用面で実用的ではないという。畜産農家とこの美しく挑戦的な吸血昆虫との戦いはまだ続くようだ。

アブ類の卵塊は葉の上で見ることができる
（写真提供：Alamy）。

サシバエは家畜にとって大きなストレスの元となる。馬にはハエ類の防護用マスクが使われることも（写真提供：Alamy）。

宿主の体表に群がるノサシバエ*Haematobia irritans*（写真提供：Alamy）。

アカシアの木の下に設置されているツェツェバエのトラップ。誘引剤により、捕獲される。タンザニア・タランギーレ国立公園（写真提供：Alamy）。

【ハエ類】：この不愉快な昆虫を知らないものはいないだろう。しかし、ただの五月蝿い存在だけではなく、攻撃的な吸血者がいる。それがサシバエ類で、牛や馬などの畜舎や牧野で出会える（時に、刺される）。それ以外の五月蝿い奴ら（非刺咬性ハエ類）の口器は伸縮自在の吻であるが、サシバエ類のそれは細長い針状である（肉眼でも確認できる！）。日本ではサシバエ（stable fly; *Stomoxys calcitrans*）とノサシバエ（horn fly; *Haematobia irritans*）が問題視される。両種生態は異なり、サシバエが牛舎内外に生息し、吸血時にのみ動物を襲うが、ノサシバエは牧野にいて、宿主体表に常時生息している（宿主から離れる時は産卵の時だけ）。

吸血量はサシバエ類1個体雌で6.2 mg、前述したようにサシバエ類は雄も吸血し、その量は雌よりやや少なく約4.8 mgという。

刺咬性ハエ類で忘れてならないのがツェツェバエ（tsetse fly; *Glossina* spp.）であろう。このハエ類はアフリカ大陸の北緯15度から南緯25度の、いわゆるtsetse beltという地域に分布する。多様な哺乳類と鳥類を昼間に襲う。もちろん、人や家畜も吸血源にされ、その際、人の睡眠病や家畜のナガナという疾病の病原トリパノソーマ原虫を伝播する。病気も怖いが、雌はニクバエ類などのように卵胎生で、要するにウジ虫を直接産み出す様子を目にしたらトラウマになるかも？

サシバエ *Stomoxys calcitrans* は針状の長い吻で吸血する（写真提供：Alamy）。

感染症の媒介動物として恐れられるツェツェバエ（*Glossina* 属）の一種（写真提供：アフロ）。

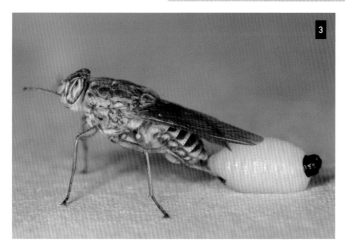

卵胎生のツェツェバエ（サバンナツェツェバエ Glossina morsitans morsitans）が幼虫を産む様子。
右下は産み落とされた3齢幼虫（写真提供：Alamy）。

サシチョウバエ

血液プールを摂取する"血管外吸血型"

ニッポンサシチョウバエ *Sergentomyia squamirostris*（写真撮影：葛西真治）。

サシチョウバエは非常に小さく、2～3㎜程度の大きさしかない。写真はサシチョウバエとオオクロヤブカ。

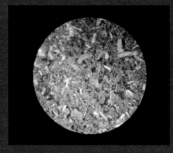

卵、幼虫、蛹は陸生であり、成虫よりさらに小さいため自然界で見つけることは難しい。

PHLEBOTOMINE SAND FLY

オビトカゲモドキを吸血するサシチョウバエ。徳之島(写真撮影：迫田拓)。

　サシチョウバエは長い脚とピンと立てた翅が特徴的な2〜3mmほどの微小なハエ目の昆虫である。南ヨーロッパ、アジア、アフリカ、オーストラリア、中南米を含む北緯50度から南緯40度にわたり広く分布する。卵、幼虫、蛹、成虫と完全変態を行い、成虫の多くは夕方から夜に活動的になり、昼間は、比較的涼しく、湿度が高い家屋、家畜小屋、洞窟、壁や岩や土の割

れ目、密生した植生、木の穴などで過ごす。ごく稀に無吸血産卵や単為生殖をする種が新熱帯区に生息するが、メスは卵を育てるための栄養源として血液を必要とする。
　サシチョウバエは寄生虫であるリーシュマニア原虫を媒介し、リーシュマニア症という人獣共通感染症を引き起こす。熱帯、亜熱帯、地中海沿岸地域、一部寒帯の98カ国以上に広く蔓延しており、約3

億5,000万人が感染の危機にさらされている。犬のリーシュマニア症も深刻な問題であり、地中海沿岸地方だけでも250万頭の犬が感染していると推定されている。ヒトのリーシュマニア症は、皮膚型、内臓型、皮膚粘膜型に大別されるが、内臓型リーシュマニア症は未治療の場合の致死率は高い。イヌ科動物、げっ歯類、有袋類などが宿主動物となり、感染したメスのサシチョ

ヒメハブに集まるサシチョウバエ。奄美大島(撮影：迫田拓)。

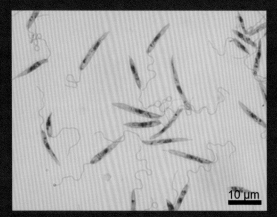

リーシュマニア原虫。サシチョウバエ中腸内での形態、鞭毛型。

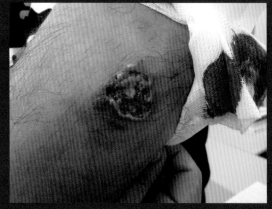

皮膚型リーシュマニア症の病変部。

ウバエの咬傷によって伝播される。
　サシチョウバエは口器を血管内に挿入し、血流から直接血液を摂取するのではなく、口器で真皮組織を傷つけ、毛細血管を破綻させ生じた血液プールを摂取する血管外吸血型様式をとる。サシチョウバエ6属（*Phlebotomus*、*Chinius*、*Sergentomyia*、*Lutzomyia*、*Warileya*、*Brumptomyia*）のうち、旧大陸では*Phlebotomus*属、新大

陸では*Lutzomyia*属がリーシュマニア症のベクターとして重要である。
　日本にはニッポンサシチョウバエ *Sergentomyia squamirostris*（Newstead, 1923）が青森以南の日本全土に生息していると考えられている。*Sergentomyia*属サシチョウバエの多くは主に爬虫類や両性類を吸血すると言われており、トカゲに寄生するリーシュマニア

原虫、*Sauroleishmania*やトリパノソーマ原虫がサシチョウバエから検出されている。日本でもオビトカゲモドキ、クロイワトカゲモドキやヒメハブを吸血するサシチョウバエが目撃される。

ニホンカナヘビを吸血するニッポンサシチョウバエ。

PHLEBOTOMINE SAND FLY

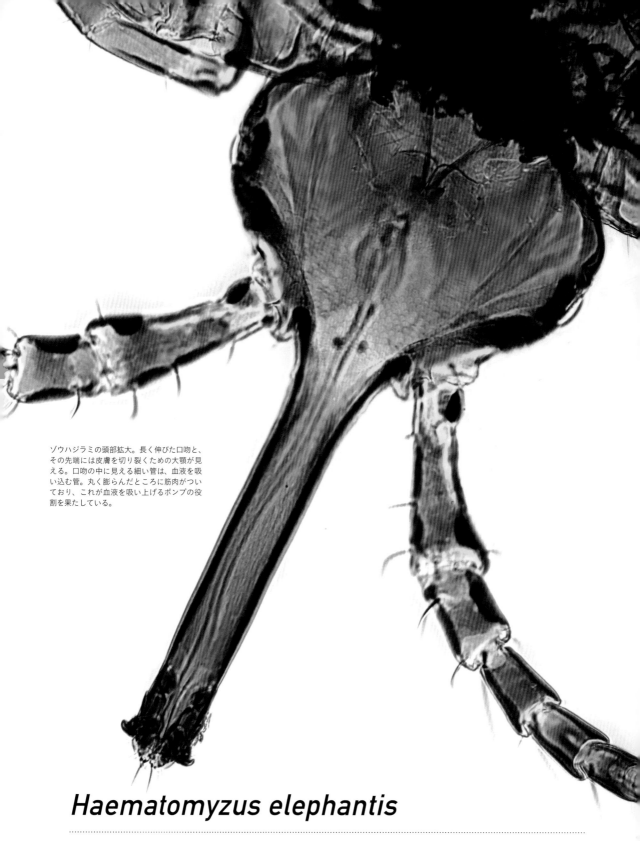

ゾウハジラミの頭部拡大。長く伸びた口吻と、その先端には皮膚を切り裂くための大顎が見える。口吻の中に見える細い管は、血液を吸い込む管。丸く膨らんだところに筋肉がついており、これが血液を吸い上げるポンプの役割を果たしている。

Haematomyzus elephantis

「齧る」「吸う」を併せ持つ口吻
ゾウハジラミ

ハジラミとシラミの橋渡し

　シラミと言えば、ダニやノミと並んで、寄生虫の代名詞のような存在の1つである。この名称は罵声語として使われることもあるなど、シラミに良い印象を持たない方がほとんどだろう。しかし、進化生物学的に見ると、このシラミという昆虫は実に興味深い研究対象である。多くの寄生性生物同様その形態は単純化し、寄生という機能に特化している。さらに、シラミは一生涯を特定の宿主の上で過ごすという特徴もあるため、その形態はその宿主、さらには特定の寄生場所にあわせて特殊化している。その研ぎ澄まされた形態は機能美そのもの。この美しさを理解できる人は一般には多く無いかもしれないが、本書を手にした読者であれば理解してもらえるだろう。

　本書で扱っている吸血性のシラミ類は、咀顎目（カジリムシ目）と呼ばれる不完全変態昆虫のグループに属する。その名の通り、もともとは餌を囓って食べるための「咀嚼式」と呼ばれる口を持ち、木の幹や落ち葉の下などで生活している仲間だった（チャタテムシ類）。その中から、鳥の巣（もしくは恐竜の巣）での生活に適した、体が背腹に扁平で、翅も退化した仲間が現れた（コナチャタテ類）。彼らは、巣の主が落とした餌のかけらや老廃物などを餌にしていたが、やがて宿主にとりつき、毛や羽毛を主な餌とするハジラミ類が進化した。ハジラミ類も囓る口を持っており、その基本形態

はコナチャタテ類とそれほど大きな違いは無い。一方で、さらに進化した吸血性のシラミ類は、針のような口で皮膚を刺し血を吸うという、囓るという昆虫の基本構造から大きく逸脱した口を持っている。

　そして、囓る口から血を吸う口への進化の中間段階にあるのが、ゾウハジラミである。この昆虫は、その名の通りゾウに寄生し、さらにゾウの鼻のように長く伸びた口吻を持つという、まるで冗談のような特徴を合わせ持つ。そして、その長く伸びた口吻の先についた顎で皮膚を囓って穴を開け、吸血する。つまり、囓るような口と血を吸うための口、どちらも兼ね備えた、まさにハジラミ類とシラミ類の橋渡しをする昆虫なのである。

　ハジラミ類とシラミ類を含むシラミ下目にはこれまで5000種程度が知られており、タンカクハジラミ小目、チョウカクハジラミ小目、ケモノハジラミ小目、チョウフンハジラミ小目、シラミ小目に大分される。それぞれの小目には、数百種から3000種程度が分類されるが、ゾウハジラミが属するチョウフンハジラミ小目は、わずか1科1属3種のみで構成されている（他の2種は、イボイノシシとアカカワイノシシに寄生する）。ゾウハジラミは、噛む口から吸う口というシラミの進化の過程を示す、奇跡のような生き残りと言える。

ゾウハジラミの全形写真。長く伸びた口吻だけではなく、全体に丸い形、比較的良く発達した触角や脚など、シラミの中でも特異的な形態を示す。

ヒトジラミ（アタマジラミ）の成虫。爪を使って頭髪をつかみ、移動する。口針は普段頭の中に収納されており、外部からは見えない。

Pediculus humanus

児童施設で集団発生も

ヒトジラミ（アタマジラミ、コロモジラミ）

寄生する場所は主に2つ

吸血性のシラミ（シラミ小目）にも多くの種がいるが、人に寄生するのは2種のみである。そのなかで最も頻繁に見られ、一般に「シラミ」と言った場合に指し示される種こそが、このヒトジラミである。

ヒトジラミは、頭髪を寄生部位とするアタマジラミと、衣服を寄生部位とするコロモジラミに分けられ、両者の間には体サイズや色彩に明瞭な違いが見られる。これらはかつて別種や別亜種として扱われたこともあるが、両者が現在でも交雑している証拠が遺伝子レベルで示されていることから、アタマジラミとコロモジラミは寄生部位の違いによる生態型とする見方が一般的となっている。

分類学的には同種とみなされるとはいえ、これら2つの型の区分は、非常に重要である。現在の日本ではコロモジラミは稀であるが、アタマジラミは幼児施設や小学校などでしばしば集団発生する。ヒトジラミは発疹チフスなどの媒介者として知られるが、これらを媒介するのはコロモジラミで、アタマジラミではそのような例は知られていない。掻痒症はどちらにも共通してみられる。コロモジラミの対策は、衣類の定期的な洗濯等、通常の清潔な生活で十分であるが、アタマジラミにとりつかれた場合、目の細かい専用の櫛を使った卵や虫体の除去や、ピレスロイド系の薬剤の使用が必要である。ただし、薬剤抵抗性を持ったアタマジ

ラミも知られる。

ヒトジラミの近縁種はチンパンジーにも見られ、その起源はヒトとチンパンジーの共通祖先と考えられている。シラミ類の卵は宿主の毛や羽毛に貼り付けるように産卵され、幼虫も成虫も宿主から離れず一生涯を送る。宿主を離れてしまった場合の移動能力をほぼ持たないため、宿主の種分化とシラミの種分化が同調している場合が多い。そのため、ヒトジラミとチンパンジージラミの分化は、宿主であるヒトとチンパンジーが分化した時期（500〜700万年前）と一致していると考えられており、この分岐時期はシラミの分岐年代を調べる際の座標の1つにも用いられている。

ヒトジラミには、アタマジラミ、コロモジラミの区分とは全く一致しない2つの遺伝子型が知られており、それらが別れた年代はおよそ120万年前と推定されている。これは現生のヒト *Homo sapiens* の起源（20万年前）よりはるかに古く、むしろ現生人類につながる系統と、*Homo erectus*（北京原人やジャワ原人など）とが分かれた年代に近い。そのため、現生のヒトに見られるヒトジラミの2つの系統は、これら2種のヒトが2次的に接触した結果生じたのではないかとする説もある。常に人と離れず生活し、進化してきたヒトジラミは、ヒトの進化の歴史の一端を映す鏡のような存在でもある。

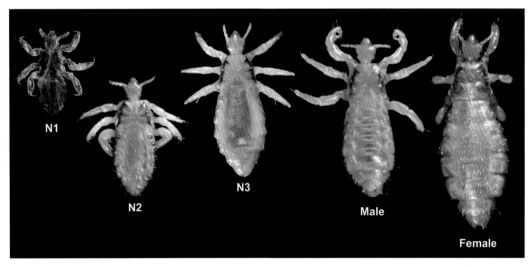

N1

N2

N3

Male

Female

ヒトジラミ（コロモジラミ）の幼虫と成虫。不完全変態で翅のないシラミの幼虫の形態は、大きさ以外成虫との顕著な違いは少ない。幼虫の令期は3令までと、他の昆虫に比べて短い。

Phthirus pubis

寄生部位が嫌われる理由
ケ ジ ラ ミ

感染の実態が出てこないケースも？

　ヒトジラミに加え、ヒトに寄生するもう一種のシラミが、このケジラミである。英語では一般にpubic liceと呼ばれ、その名の通り寄生部位は主に陰毛である。その寄生部位からも分かるとおり、ケジラミの伝播は主に性行為による。その寄生部位や感染経路の特殊性から、ヒトジラミ以上に忌み嫌われる存在、それがケジラミである。

　しかしケジラミは、他の昆虫やシラミには見られない独特な形態をそなえており、見方によっては非常に「かっこいい」昆虫でもある。ただし、体長は2ミリ程度と、シラミのご多分に漏れず小さい。通常シラミはヒトジラミのように縦長の形をしているが、ケジラミの胴体は寸詰まりになっており、円形に近く、側縁から後方にかけて、独特の突出構造が見られる。また、毛をつかみ移動する際に主に用いられている中脚と後脚の跗節と爪は極めて良く発達している。寸詰まりの体と大きな爪をそなえた見た目から、ケジラミは、crab lice（カニジラミ）と呼ばれることもある。このように見た目は大きく違うものの、ケジラミ属とヒトジラミ属は系統的には近い関係にある。

ケジラミの成虫（左）と幼虫（右）。体の大きさ以外、外観は良く似通っており、どちらも普段は、主に中脚と後脚を使って陰毛にとりついている。口針の先端も見て取れる。

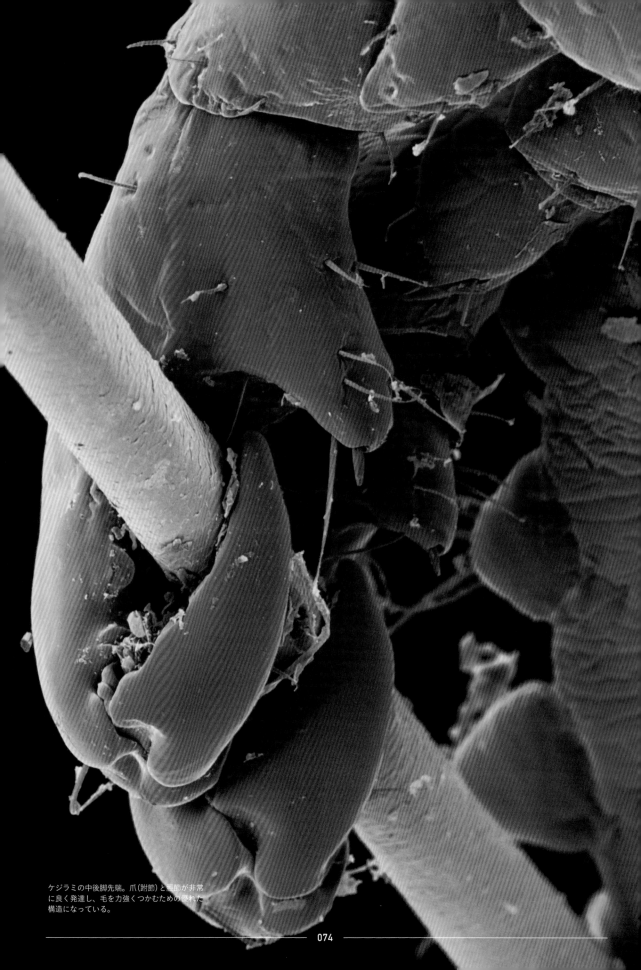

ケジラミの中後脚先端。爪（跗節）と脛節が非常
に良く発達し、毛を力強くつかむための優れた
構造になっている。

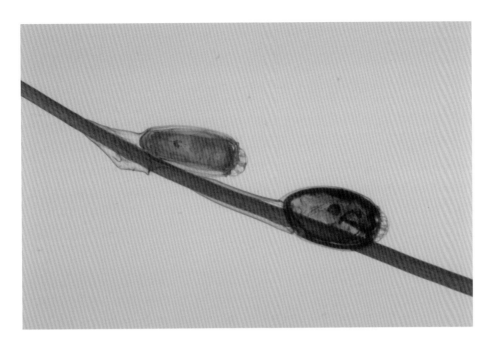

1. ケジラミの卵。他のシラミ同様、ケジラミの卵は、接着剤のような物質を使って貼り付けられるように生み出される。2. ケジラミの全形写真。丸いからだ、独特ないぼ構造、いずれもシラミの仲間としては特異なものである。

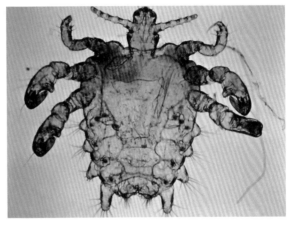

ケジラミが媒介する深刻な病気は知られておらず、掻痒症とそれに伴う皮膚の細菌感染等が主な症状となる。感染が主に陰毛に限られるため、剃毛がケジラミ症の確実な対策であるが、時に眉毛やその他の体毛部にも寄生し、剃毛だけでの除去が困難な場合もある。その場合にはピレスロイド系の薬剤も有効である。感染しても羞恥心からなかなか病院にかかれず、感染が表に出ていない例も多いとみられている。

ケジラミの近縁種はゴリラから知られているが、ヒトと最も近縁なチンパンジーからはケジラミの仲間は知られていない。一方、ゴリラにはヒトジラミ属の種は寄生しない。ヒトとゴリラで見られるケジラミ属が、ヒトと最も近縁なチンパンジーでは見られない理由として、ヒトジラミで述べた現生人類と原人とのコンタクト同様、ゴリラとヒトの2次接触（異種間交配を含む）による宿主転換を想像される方もいるかもしれない。しかし、ヒトのケジラミとゴリラのケジラミの分岐年代は、ヒトーゴリラの分岐年代と大きな矛盾は無いことから、ゴリラ、チンパンジー、ヒトの共通祖先にすでに寄生していたケジラミの祖先が宿主の分化に伴って分化し、その後チンパンジーにおいてケジラミ属が絶滅したとみなすのが妥当と考えられている。

ケジラミ属とヒトジラミ属。2つの属に分類されるシラミをともに宿すのは、ヒト科ではヒトのみである。これは体毛の減少によりヒトジラミとケジラミの生息領域が分断され、両者が同一個体でも共存できるようになった結果なのかもしれない。

トコジラミ。体は背腹方向に扁平。翅は鱗状に退化するが、脚は良く発達する。腹部は吸血後、節の間の膜も伸び、かなり膨張する。

Cimex lectularius

"南京虫"の呼称でもおなじみ
トコジラミ

飢餓にめっぽう強い

　トコジラミ（床虱）は別名ナンキンムシ（南京虫）とも呼ばれる。シラミという名前がついているが、実際にはカメムシの一種である。カメムシの仲間は針のような口を持ち、もともとはそれを使って植物の汁を吸う生活を送っていた。その中から、他の昆虫などを餌にする仲間がいくつかの系統で現れ、さらにそのうちの一系統から、鳥や哺乳類の血液を主な餌とするようになった仲間が現れた。それがトコジラミ科である。トコジラミ科には100種以上が分類されているが、その多くは鳥やコウモリを主な吸血源とし、人を主な吸血源とするのは、本種とネッタイトコジラミ *Cimex hemipterus* のみである。

　トコジラミは、鳥や哺乳類の外部寄生虫の例に漏れず、非常に扁平な体をしている。ヒトを吸血する昆虫としては体長はそれなりに大きく、成虫は5〜7ミリ程度になる。翅は鱗状に退化し飛翔能力は持たないものの、脚は良く発達しているため、歩行による優れた移動能力を備えている。さらに飢餓にも強く、数ヶ月程度は餌をとらずに生きていける。普段は吸血源を離れ、部屋や家具の隙間などに隠れており、吸血時にのみ人に近づく。そのためシラミの場合とは異なり、トコジラミの被害は感染した人との直接の接触ではなく、トコジラミが生息する部屋や寝具（床虱の語源）の利用などで起こる。近年では、ホテルでネッタイトコジラ

1.トコジラミの頭部。カメムシに特徴的なストローのような口が見て取れる。2.パラメアと呼ばれる雄の交尾器構造。これでメスの腹部を突き刺し、その傷から精子を注入する。3.ベッドのシーツ下に潜むトコジラミ。トコジラミはこのように普段は宿主から離れて潜んでおり、ベッドの共有などで被害が広がる。4.トコジラミの交尾の様子。上がオス、下がメス。

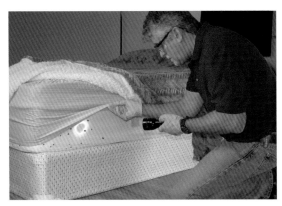

ミの被害に遭う例も頻発している。ヒトを吸血源とするトコジラミ類はコウモリ寄生性のトコジラミに由来すると考えられており、その起源もコウモリとヒトのねぐらの共有、つまり洞窟をねぐらにしていた人類の祖先に、コウモリ由来のトコジラミが乗り移ったことによると考えられている。

　トコジラミは不完全変態で、卵は吸血源とは別の場所に貼り付けるように産みつけられる。幼虫も小型で色は薄いものの、成虫と同じような見た目をしており、吸血を行う。病気の媒介は知られていないが、強いかゆみを引き起こす。上で紹介したようなホテル被害が生じると、保証や駆除に多大な費用がかかるため、ホ

テルを救済するための「トコジラミ保険」もある。

　トコジラミはヒトを口で刺すだけでは無く、交尾の際にオスが交尾器を使ってメスを突き刺すという。興味深い行動が見られる。これだけを聞くとごく普通のことのように思われるかもしれないが、通常の動物のような雌雄の生殖器同士の刺しつ刺されつの関係では無い。オスがナイフのような交尾器でメスのおなかの横を突き刺し、そこから精子を注入するのである。注入された精子はメスの体の中を泳ぎ、メスの卵巣の中の卵に到着し、受精が行われる。このような交尾は「外傷性受精」と呼ばれ、オスとメスの間の繁殖に関する利害の不一致の結果、進化したと考えられている。

ノミの頭胸部の拡大。毛や羽毛の細い隙間で生活するための適応として、体は左右に扁平で、表面の凹凸も極力排除された形態をしている。触角は短く、頭部の隙間に収納される。太い毛も見られるが、全て体の後ろ方向を向き、隙間生活を妨げないようになっている。

Pulex irritans

驚異的な跳躍力で名を馳せる
ヒトノミ

現在では希少な存在に

　ノミ類（隠翅目）は、ハエやカ（双翅目）、シリアゲムシやガガンボモドキ（長翅目）といった昆虫と近縁な吸血性昆虫の一群である。同じく鳥や哺乳類の寄生虫であるシラミ類では、自由生活から寄生生活に至る中間段階を示すような仲間が見られるのに対し、ノミではそのような仲間は知られていない。ユキシリアゲと呼ばれる、翅の退化した小型のシリアゲムシの仲間がノミの祖先筋にあたるとする説もあるが、まだ結論は得られていない。

　ノミは寄生性の昆虫の例に漏れず翅は完全に退化し、非常に扁平な体をしている。シラミ類やトコジラミが背腹方向に扁平なのに対し、ノミの仲間は横方向に扁平になっている。シラミやトコジラミが不完全変態昆虫なのに対し、ノミは完全変態昆虫である。不完全変態昆虫の脚は一般的に体の横側についているのに対し、完全変態昆虫の脚は体の真下に左右が互いに接するようについている。このような完全変態・不完全変態昆虫の根本的な体のつくりの違いが、同じような生活に適応した昆虫の間での体制の大きな違いを生み出していると考えられる。

　一般にノミの卵は宿主に付着すること無く、ばらまくように産まれるため、幼虫は宿主を離れる。幼虫に脚は無く、口は咀嚼型で吸血はせず、餌として成虫の吸血源である動物が落とす有機物や、成虫の糞などを

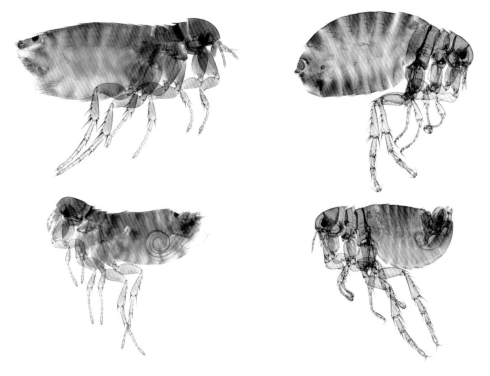

ヒトノミの雌雄成虫。一般に「ノミの夫婦」と言われるように、
メス（上）の方が、オス（下）よりも大きい。

ネコノミの雌雄成虫。日本で普段見かけるのは、もっぱらネコノ
ミになっている。

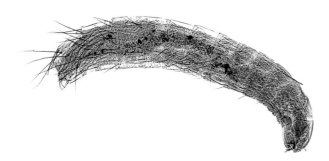

ネコノミの幼虫。脚は無く、口と体
の収縮を使って移動する。

利用して成長する。

　ノミ類にみられる大きな特徴の1つが、強力な跳躍
力である。アニメなどでは、小さな点の跳ねる様子1
つでノミが表現されることすらあるほどの象徴的な特
徴と言え、その跳躍力は、全ての動物の中でもトップ
クラスである。バッタなど多くの跳ねる昆虫は、足を
太く長くし、そこに蓄えられた筋肉を使って跳躍をす
る一方、ノミは主に胸部内部の筋肉を使って跳躍を行
う。ふつう昆虫の胸部は、翅を動かすための筋肉でそ
の大半が占められており、跳躍するための筋肉を収容
する余裕はない。ノミの強力な跳躍は、効率的な移動
手段である翅を失うことによってはじめて可能になっ

たのである。

　さて、実は衛生環境の向上に伴って、現在の日本で
はヒトノミは極めて稀少な存在となっている。実際、
現在国内の家庭内で見かけるノミはほとんどがネコノ
ミ *Ctenocephalides felis* であり、筆者自身も大学院
生の下宿時代にはネコノミの被害を受けたことがある。
ネコノミはネコやヒト以外の動物も吸血源にしており、
筆者を悩ませたネコノミの発生源も、階下の大家さん
が飼っていた犬であった。イヌノミ *Ctenocephalides
canis* もまた、日本では減少傾向にある。ネコの完全
屋内飼育がより一般的になれば、ネコノミを見る機会
も減ることになるだろう。

ノミの跳躍の様子。他の跳躍をする昆虫、例えばバッタなどと比べると、跳躍に使うノミの後ろ足には顕著な発達は見られない。これは、ノミは胸の中の筋肉を使って跳躍をするためである。

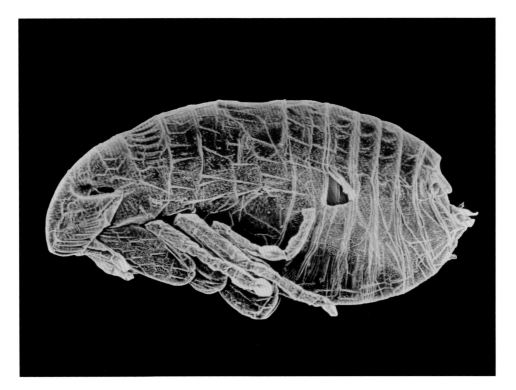

1
——
2

ノミの **1.** 蛹と **2.** 幼虫。完全変態を行うノミは、成虫と幼虫で見た目が大きく異なる。
翅のないノミの蛹は、成虫の見た目ほぼそのままである。

スナノミのメス成虫。腹部は末端を除いて膜状化しており、多くの卵を蓄えるのに伴い大きく膨張する。

Tunga penetrans

メスは皮膚の下に寄生して血を吸う

スナノミ

さまざまな哺乳類を宿主に

普通のノミは、蚊など同様に足を使って吸血源となる動物の体表に付着し、血液を吸う。一方でスナノミのメスは、表皮角質下に潜り込んで寄生する。このような脊椎動物の内部への寄生は、ノミとしても特殊なだけではなく、寄生性の昆虫全体を見回しても極めて稀な状態である。なお、皮膚下に寄生するのはメス成虫のみで、オス成虫は通常のノミと同様の生活を送る。

そして、スナノミのメス成虫の特異な寄生形態は、スナノミ症と呼ばれる皮膚疾患を引き起こす。スナノミは跳躍力がとても弱いため、スナノミ症の発症は足先、特に爪の周囲や指の間が多い。初期症状は刺激感や掻痒であるが、やがて疼痛を生じる。スナノミは中南米が原産であるが、アフリカにも人に伴って移入され、いずれの地域でもスナノミ症は大きな問題となっている。日本国内でも、これらの地域への旅行者などからの発症記録がある。スナノミ症は、顧みられない熱帯病（Neglected Tropical Disease）に認定されており、その治療には、患部ごと虫体を取り除く外科治療が、現在ではほぼ唯一有効とされる。

メス成虫の腹部末端は寄生後も外部に露出しており、そこから1回に20個程度の卵が生み出される。生み出された卵はしばらく皮膚に付着し、やがて地面に落下する。幼虫の令期は2令と、通常のノミ類の3令より短い。幼虫の発育には雨の少ない砂地環境（スナノミの語源）が必要で、多くの場合砂の表面から1〜5センチ程度の深さに生息している。蛹期を経て羽化した成虫の体長は1ミリ程度とノミの中でも最も小さい部類に入るが、生涯に数百から千個以上の卵を産むメスの腹部は寄生後に肥大し、最大で1センチ程度にも達する。卵を産み終わり死亡したメス成虫は皮下に残ってしまうため、これをそのまま放置した場合、細菌による二次感染が発生する場合もある。

スナノミ科は2属のみから構成されており、含まれる種も両者あわせて20種程度である。そのうち、スナノミ属の既知13種はいずれも、メスが哺乳類の皮下に寄生することが知られている。スナノミ属の多くの種は宿主特異性が強い一方、スナノミ T. penetrans は宿主範囲が広い点でも特異的で、これまでに5目26種の哺乳類への寄生が知られている。スナノミ科のもう1つの属である Hectopsylla 属の種でも、イワインコの幼鳥の鼻孔や舌下など、極めて特殊な部位に寄生する例が報告されていることから、このような特殊な寄生形態は、スナノミ科の祖先で獲得されたものと考えられる。

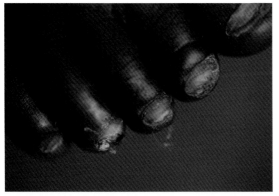
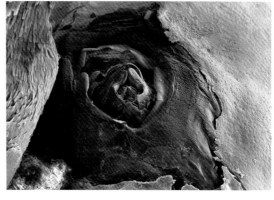
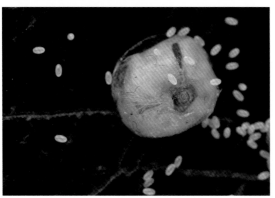

1	2
3	

1. スナノミに寄生されたヒトのつま先の様子。2. スナノミの寄生部位拡大写真。腹部末端だけ露出しており、ここから卵を産み出す。3. 腹部の膜状部が大きく膨張したスナノミのメス（摘出された状態）と産み出された卵。

南米に生息する*Triatoma infestans*。シャーガス病の媒介動物として知られる。写真はボリビアで撮影された個体（写真提供：アフロ）。

REDUVIIDAE and *TERRIFYING PROTOZOAN DISEASE*

ヒトを刺す種は少ないが感染症媒介の危険も

サシガメと恐ろしい原虫病

Rhodnius prolixus。この種もシャーガス病感染の元となり、
現地では頻繁に薬剤散布が行われる（写真提供：アフロ）。

かゆい傷をかいてしまうと
恐ろしい結果に──

　家屋に忍び込むあのカメムシを長めにした感じで、や
や大型（体長2から3cm）の昆虫がサシガメ類（assassin
bug あるいは kissing bug）である。本文で紹介されたト
コジラミと同じ半翅目に所属し、大部分の種が昆虫など
を刺咬するが、まれに人を含む動物も刺す。特に、注意
すべきなのが、南米に生息する *Triatoma infestans*、
Rhodnius prolixus および *Panstrongylus megistus*（い
ずれも和名なし）などの属種で、これらは人と動物の共通
感染症として知られるシャーガス病の病原虫クルーズト
リパノソーマ *Trypanosoma cruzi* を媒介する。この原虫
の自然宿主は南米大陸に生息するアルマジロや新世界サ
ル類であったが、人にも感染し、成人と子供、双方に感
染する。症状は子供の方が急性かつ重篤で高熱と眼瞼周
囲の浮腫が生ずる。一方、慢性では成人も含めて心筋の
傷害を示す。

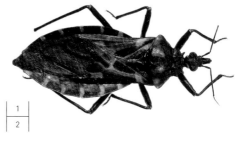

1. ブラジルサシガメの成虫。
2. 南米ではいくつかの種が知られている。写真は *Panstrongylus megistus*。

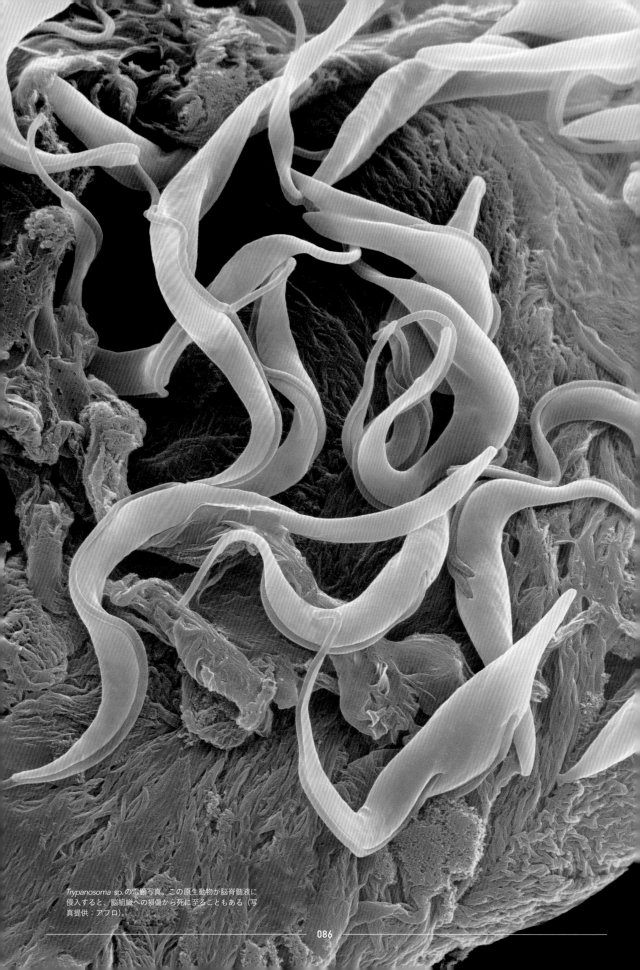

Trypanosoma sp. の電顕写真。この原生動物が脳脊髄液に
侵入すると、脳組織への損傷から死に至ることもある（写
真提供：アフロ）。

Rhodnius prolixus の吸血の様子(写真提供：アフロ)。

　不謹慎だが、感染様式が面白い。P062で紹介された
ツェツェバエもトリパノソーマ属原虫を媒介するが、
この場合、吻を経由する。まあ、他の昆虫類やダニ類
と同じである。

　ところが、クルーズトリパノソーマの場合は、まず、
サシガメの排出する糞に混じって外に出る。次いで、
サシガメにより刺された場所はとても痒く、人や動物
が強くひっかき、微小な傷が生ずる。そして、クルー
ズトリパノソーマはその傷から侵入するのだ。吸血動
物とともに進化した血液原虫の世界も、実に深い……。

マダニ科Ixodes属の一種の吸血前（右）と吸血後（左）の様子。マダニ科の雌成虫は体の数百倍もの血液を吸って満腹状態となり、産卵した後に死ぬ（写真提供：Alamy／アフロ）。

ACARI
TICKS AND MITES

未だつかめていない、彼らの"進化の歴史"

血を吸うダニとその仲間

「単系統」か否か。分類は不確定

　ダニ類は、節足動物門Arthropoda、鋏角亜門Chelicerata、真鋏角類Euchelicerata、クモガタ綱Arachnidaに所属している。以前はクモガタ綱のひとつで、ダニ目とされてきた（例えばBeccaloni, 2009）。しかし最近、Krantz and Walter (2009) は、ダニ亜綱として、その下位分類群を胸穴ダニ上目Parasitiformesと胸板ダニ上目Acariformesのふたつとし、胸穴ダニ上目をアシナガダニ目Opilioacarida、カタダニ目Holothyrida、マダニ目Ixodida、トゲダニ目Mesostigmata、そして、胸板ダニ上目を、汎ケダニ目Trombidiformes、汎ササラダニ目Scarcoptiformesの合計6目という体系にした（島野, 2018）。一

方、Zhang (2013) は、Acariという分類群を排除し、代わりに胸穴ダニ上目と胸板ダニ上目の2つの上目のみを残した。一般的な節足動物の分類体系（例えばBrusca et al., 2016）はZhang (2013) を踏襲している。現段階では、ダニ類が単系統（ダニというひとつのグループを構成する）か、あるいは2つの全く異なるグループとされるべきなのかという判断が、遺伝解析に基づいて議論されているが結論は出ていない（例えば、Nolan et al., 2019; Lozano-Fernandez et al., 2019; Howard et al., 2020）。

　ダニの代名詞とでもいうべき、マダニ目は全ての種が、動物の血を吸うダニ種である。マダニ目はマダニ

科Ixodidae（hard ticks）、ヒメダニ科Argasidae（soft ticks）そして、ヌッタリエラ科Nuttalliellidaeで構成されている。

　マダニ目のうち、ヌッタリエラ科は最も原始的な分類群だとされ、Mans et al.（2011）は、その一種 *Nuttalliella namaqua* の宿主がヨロイトカゲ科（爬虫類）であることを示した。このことは、マダニの祖先の宿主が爬虫類であった可能性を示唆し、恐竜がマダニの宿主のひとつであった可能性もある。しかし、残念ながらマダニ目の化石は白亜紀後期（約1億年前〜9,000万年前）のものしか残されておらず、また、いずれの胸穴ダニ上目も1億年よりも古い化石はみつかっていない（Dunlop, 2010）。一方、胸板ダニ上目の化石は約4億1000万年前に既に現生のものに近い姿のダニがみつかっており、そもそも2つの上目の分類群の関係がどのようなものなのか、ダニ全体の進化の歴史そのものが良く解っていない原因となっている。

　さて、マダニ目以外でも、動物や人間の血を吸ったり、寄生したりするダニ種は、トゲダニ目、汎ケダニ目、汎ササラダニ目にみられる。トゲダニ目ではイエダニ類、汎ケダニ目ではリケッチア（ツツガムシ病など）を媒介するツツガムシ類、汎ササラダニ目では疥癬を引き起こすヒゼンダニ類などがあるが、詳しくは後ほど解説したい。

ヒメダニ科*Argas*属の一種の産卵。ヒメダニ科の雌成虫は吸血と産卵を繰り返す。

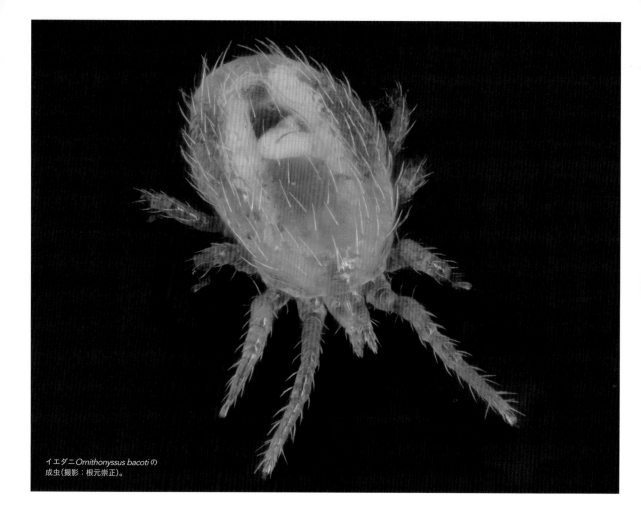

イエダニ*Ornithonyssus bacoti*の
成虫（撮影：根元崇正）。

MITES

“食性”や“動物への影響”も多様

マダニ目 以外のダニ類

さまざまな環境に生息する適応力

　第1章で述べたように、ダニ類がひとつの分類群な
のか、あるいは2つの独立した分類群なのかについて
は，まだ結論が出ていない。ダニ類全体で有効な学名の
ついたものだけで54,312種が数えられている（以下、
化石種を除いた全世界での現存種の種数はZhang,
2013による）。

　ダニ類は、自由生活性のものまでを含める、地球上
のあらゆる環境に生息している。ダニ類と昆虫類はと
もに節足動物の祖先が陸へ上陸した後に、陸上で成立
したと考えられる。しかし、昆虫類は海へ再び進出す
ることはできなかった。昆虫類のうち海水環境で生息

しているものは、海岸の潮だまりにはウミアメンボや
ウミユスリカがいるが、沖へ出ると外洋性のウミアメ
ンボ*Halobates*属の5種と寄生性のシラミが生息して
いるのみである（Ward, 1992; Cheng and Frank, 1993）。

　ダニ類は陸上中心ではあるが深海から高山までをそ
の生息場所としている。ダニ類で、最も深い深海に生
息するものは伊豆半島から小笠原諸島までの間の水深
6,770〜6,850 mから有機物食／捕食性のウシオダニ
類（汎ケダニ目）が知られている（Yankovskaya, 1978）。
南極からは有機物食性のササラダニ類と捕食性ニセサ
サラダニ類（いずれも汎ササラダニ目）が（Ohyama

and Matsuda, 1977; Sugawara et al., 1995 など）、ヒマラヤのような高山からは有機物食性のササラダニ類（Sengupta and Sanyal, 1990）が得られている。また40℃以上の温泉の熱に耐えられるオンセンダニ *Trichothyas (Lundbladia) japonica* (Uchida and Imamura,1953)（汎ケダニ目）が新潟の燕温泉から新種として記載されている。

a) 胸穴ダニ上目 Parasitiformes

　胸穴ダニ上目（12,373種）にはアシナガダニ目 Opilioacarida（35種）、カタダニ目 Holothyrida（27種）、マダニ目 Ixodida（892種）、トゲダニ目 Mesostigmata（あるいは Gamasida：11,419種）の4つの目が所属しているが、マダニ目とトゲダニ目の2目が人間および動物の血液あるいは体液を吸う。マダニ目は全種が吸血性であるが、トゲダニ目は、自由生活性（非寄生性）のグループが多く捕食性、腐食性、菌食性、花粉食性などがあり、動物寄生性のグループもみられる。

　トゲダニ科、オオサシダニ科、ワクモ科などは動物や人間の体液を吸う。サルハイダニ *Pneumonyssus simicola* Banks, 1901、イヌハイダニ *Pneumonyssoides caninum* (Chandler & Ruhe, 1940)、アシカハイダニ *Orthohalarachne attenuata* (Banks, 1910) などの肺に寄生するハイダニ科、カモハナダニ *Rhinonyssus rhinolethrum* (Trouessart, 1895) などの鳥類の鼻腔に寄生するハナダニ科などがある。

　トゲダニ科には、ネズミトゲダニ *Laelaps echidninus* Berlese, 1887 や、ホクマントゲダニ（アカトゲダニ）*Laelaps jettmari* Vitzhum, 1930 などが含まれている。前者は住家に生息するクマネズミ属 *Rattus* のネズミに寄生し吸血し、後者はアカネズミ属 *Apodemus* に寄生する。特に後者は旧満州で流行性（腎症候性）出血熱ウイルスの分離記録もあるが、改めて現代の手法による検証が望まれている（高田、2019）。

　ワクモ科で最も問題になるのは、ワクモ *Dermanyssus gallinae* (de Geer, 1778) で、鳥類寄生性であるが、本種のヒト寄生例が問題になっている。養鶏場ではワクモの増大・拡大が報告され、養鶏場の作業者への寄生が、養鶏作業者の不足原因になるほど深刻になっている（今井ほか、2009）。ワクモは低温度条件では飢餓状態でも半年から9ヶ月は生存可能で、さらに、養鶏場で使われるピレスロイド系殺虫剤抵抗性の獲得がワクモの出現を増大させる原因になっている。ワクモが発生した養鶏場では、ダニ吸血のために夜間に鳥が安静を保てず、重度になると貧血、衰弱、産卵低下、失血による死亡例もある。

　オオサシダニ科では、イエダニ *Ornithonyssus bacoti* (Hirst, 1913) が有名である。世界的にクマネズミ属のネズミに普通で、以前はネズミが住家に住んでいたので、ヒトに強い痒みの皮疹を起こすことで知ら

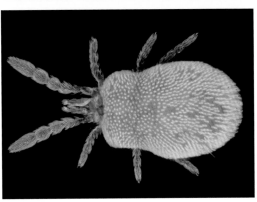

1	2
3	

1. アカツツガムシ *Leptotrombidium akamushi* の幼虫（動物に吸着）。ヒトの髪の毛にのせて撮影（撮影：根元崇正）。2. アカツツガムシの成虫（撮影：根元崇正）。3. アカツツガムシの若虫（第二若虫）（撮影：根元崇正）。

れていた。

実験的にはリケッチア媒介も可能である（高田、2019）。現在は、家そのものの構造が変化しネズミの生息している家が減少した。このため、イエダニの被害よりも、ツメダニ類（汎ケダニ目）の被害が多くなっている。他に、本科では、トリサシダニ*Ornithonyssus sylviarum*（Canestrini & Fanzago, 1877）の被害が大きく、鳥やヒト刺症の頻度は、ワクモ以上であるという。養鶏農家などでの被害も大きい。重度の寄生例では失血死も稀ではなく、中程度の寄生でも10％前後の産卵量の低下が見られるという。セントルイス脳炎ウイルスの媒介能が知られている（高田、2019）。

b）胸板ダニ上目 Acariformes

胸板ダニ上目（41,939種）には、汎ケダニ目 Trombidiformes（25,766種）、汎ササラダニ目 Scarcoptiformes（16,173種）の2つの目が属している。

b-1）汎ケダニ目 Trombidiformes

汎ケダニ目 Trombidiformes には、ケダニ亜目 Prostigmata（あるいは Actinedida：25,745種）とクシゲマメダニ亜目 Sphaerolichida（21種）の2亜目があるが、ケダニ亜目にのみ動物寄生性のグループがみられる。

ケダニ亜目は、捕食性、植物寄生性、そして自由生活性のものも多いが、幼虫で昆虫寄生性の種も多く、全ステージで動物寄生性のものもみられる。ケダニ亜

目に所属するツツガムシ上科 Trombiculoidea は、6科（Nielsen ほか、2021）からなる多様な分類群であり（Zhang ほか、2011では7科）、このうちレーウェンフェク科 Leeuwenhoekiidae 科とツツガムシ科 Trombiculidae は人間を含む陸上脊椎動物に寄生するダニで構成され、チガー chigger mite とよばれる（Nielsen ほか、2021, 3,013種）、このうち、レーウェンフェク科とツツガムシ科の一部は、総称でツツガムシ類としてリケッチア *Orientia tsutsugamushi* を媒介しツツガムシ病を引き起こすため医学的に重要である。

ツツガムシ類は、陸生哺乳類、コウモリ類、鳥類、陸生ヘビ類、陸生カメ類、ウミヘビ類、カニ類、トカゲ類、ヤモリ類の体表に寄生するが（高田、2019）、ウミヘビ類では気管から肺にも寄生する特殊な種が知られている（高橋ほか、2013）。

ツツガムシ類の鋏角は小さく（下図写真右）上皮にとどまり、上皮から出した唾液で皮下に円筒形の井戸のような吸収管を形成し体液を吸う（左）。マダニの長い鋏角を毛細血管菌叢に到達させて直接血液を吸う方法とは対照的。ツツガムシの吸収管は血管叢には到達せず、溶かした皮膚の組織液を吸う（血液を吸うわけではないので、このことを「吸着する」と一般的にいう）。

日本産ツツガムシ類約130種のうち、自然状態でヒトに吸着するツツガムシは、アカ、タテ、フトゲ、バーンズ、ヒゲ、ナンヨウおよびカケロマタマツツガムシの7種である。逆にヒトに特異的というわけではない（高田、2019）。ツツガムシは幼虫でのみ動物に吸着する。

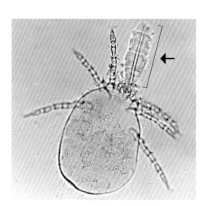

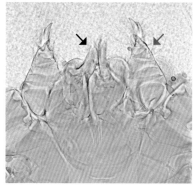

ツツガムシ類の鋏角と吸収管。マダニは長い鋏角を毛細血管菌叢に到達させて血液を吸うが、ツツガムシ類 Trombiculidae の鋏角は小さく上皮にとどまり、上皮から出した唾液で皮下に円筒形の井戸のような吸収管（線と矢印）を穿つ。血管叢には到達しないため溶かした皮膚の組織液を吸う。左：ツツガムシ科の一種 *Trombiculidae* sp. の吸収管（線と矢印）（撮影者：Alan R Walker）右：ツツガムシ科の一種 *Neotrombicula autumnalis* の鋏角（矢印）と触肢（青矢印）（写真提供：Alamy）。

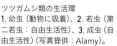

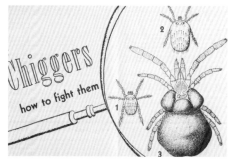

ツツガムシ類の生活環
1.幼虫（動物に吸着）、2.若虫（第二若虫：自由生活性）、3.成虫（自由生活性）（写真提供：Alamy）。

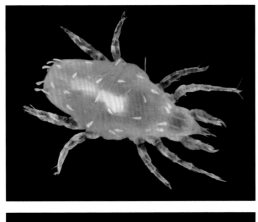
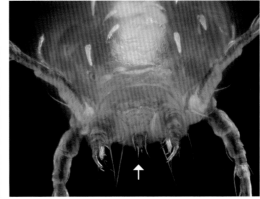
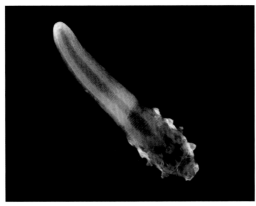
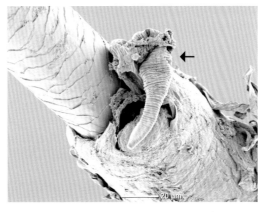

1	2
3	4

1. ミナミツメダニ *Chelacaropsis moorei* の成虫（撮影：根元崇正）。2. ミナミツメダニの鋏角（矢印：細く穿刺に適している）（撮影：根元崇正）。3. ニキビダニ *Demodex* sp.（撮影：根元崇正）。4. ニキビダニ ヒトの睫毛の根元に潜行している（矢印）（走査型電子顕微鏡像：島野智之）。

　一般的にダニ類において、幼虫では脚は3対、若虫とよばれる発育ステージ以降、脚が4対になる。ツツガムシも同様。

　幼虫のみ吸着する（寄生性）というツツガムシの生活環は、卵egg → 幼虫larva（脚が3対：動物に吸着）→ 第一若虫（脚が4対：動かない・非活動性）→ 第二若虫（一般的にツツガムシの「若虫」と言った場合にはこのステージ。トビムシなどの卵を食べる・活動性、自由生活性）→ 第三若虫（非活動性）→ 成虫（トビムシなどの卵を食べる・活動性、自由生活性）。オスが精包をつくりメスがそれを取り込み受精するという胸板ダニ類で一般的な交尾方法をとる。ケダニ目では、ツツガムシ類とは系統的に近縁ではないが、タカラダニ科Erythraeidaeのダニや、ミズダニ類water mitesのように幼虫のみが昆虫に寄生し、分布を広げるという戦略をとるものもみられる。

　シラミダニ科Pyemotidaeのダニは、貯蔵穀物や乾燥した草などに発生した昆虫類に寄生するダニ。体長約2.0 mmで麦わらや米俵、以前盛んであった絹産業で飼育されたカイコ等を扱う際に偶発的に刺す（夏秋、2013）。その際に皮膚に注入された成分に対するアレルギー反応によって痒みを伴う皮疹が出現すると考え

られている（高田, 2019）。数時間後に発熱するなどかなり激しい皮膚炎を生じることがあるが、ダニが小さいので原因を確定するのが難しい。

　他にコハリダニ科Tydeidae、ハリクチダニ科Raphignathidaeなどの植物寄生性ダニの捕食者が、餌の微小昆虫の代わりに人を刺すこともある。植物寄生性として植物から吸汁するハダニ科Tetranychidaeのクローバービラハダニ *Bryobia rubrioculus* (Scheuten, 1857) もクローバーなどを始め植物上でみつけられるが、偶発的に人を刺すことがある。

　ニキビダニ科Demodicidaeのダニ（上図写真3, 4）はヒトを刺すわけではないが、ヒトなどの毛穴（皮膚毛包）に寄生し全ステージをそこで過ごす。通常はヒトでは皮膚炎の原因にならないが、過剰増殖で皮膚炎を引き起こす（高田, 2019）。

b-2) 汎ササラダニ目Sarcoptiformes

　ニセササラダニ亜目Endeostigmata（103種）、ササラダニ亜目Oribatida（16,089種［コナダニ小目を除くと9,992種]）の2亜目と、ササラダニ亜目に所属するコナダニ小目Astigmata（以前のコナダニ亜目：6,097種）の合計3つのグループとすれば、コナダニ小目の

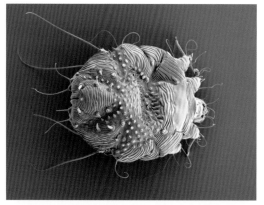

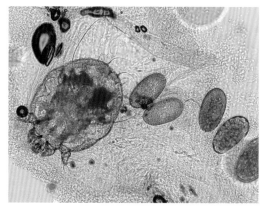

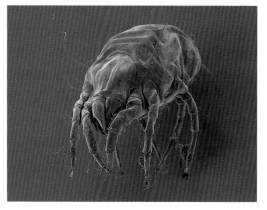

1. ヒトから得られたヒゼンダニ *Sarcoptes scabiei*（走査型電子顕微鏡像：島野智之）。2. ヒトから得られたヒゼンダニとその卵（写真提供：小阪健一郎）。3. コナヒョウヒダニ *Dermatophagoides farina*（走査型電子顕微鏡像：島野智之）。

みに動物寄生性のグループがみられる。ニセササラダニ亜目は自由生活性あるいは植物寄生性の種で構成されている。ササラダニ亜目は基本的に腐植食性のグループであるが、ウマやヒツジの葉状条虫などのベクター（中間宿主）となる種が知られている。

コナダニ小目には、以下に述べるような動物寄生性のグループがみられる。

ヒゼンダニ科 Sarcoptidae はヒトを含む哺乳動物に寄生し、皮内に穿孔して生活する。ニワトリカイセンダニ科 Epidermoptidae は鳥類に寄生し、皮内に穿孔して生活する。キュウセンヒゼンダニ科 Psoroptidae は哺乳類の体表に寄生し組織液を吸うか、皮脂や死んだ表皮を食べる。皮内への穿孔はしない。

チリダニ科 Pyroglyphidae のダニは 0.3～0.4 mm と微小でヒトの住居環境でヒトのフケや垢、室内の有機物（タンパク質）を餌に増殖する。アレルギーを誘発する抗原 allergen では、主なものでは、糞由来の Der f1、Der p1、および体表由来の Der f2、Der p2 があり、コナヒョウヒダニ *Dermatophagoides farinae* Hughes、1961 とヤケヒョウヒダニ *D. pteronyssinus pteronyssinus* (Trouessart, 1897) に由来している（それぞれ学名の一部が抗原の名称になっている）。以前は、ヤケヒョウヒダニが優占していたが、2000 年をすぎたころから、コナヒョウヒダニが室内で優占しているようであり、

それはコナヒョウヒダニより乾燥に耐えられるからだと考えられている（Kawakami et al., 2016）。

他にも例えば以下のものが知られている。スイダニ科 Myocoptidae は小型哺乳類の全身に寄生し皮脂腺からの分泌物を食べる。ズツキダニ科 Listrophoridae は小型哺乳類の皮膚の毛上に寄生する。フエダニ科 Cytoditidae 鳥類の呼吸器系に寄生する。

ウモウダニ科 Analgesidae のダニは鳥の羽根に取り付く。鳥は尾脂腺から、脂肪酸を含む油脂を分泌する。この分泌物は羽毛を良好に保ち、また羽毛の防水性を高めている。ウモウダニの主な餌は、この羽毛表面の古くなった油脂、および、羽の表面のカビや細菌などで、一方、羽そのものや鳥の体表組織、血液を餌として利用することはない（Proctor, 2003 など）。この点で、ウモウダニが羽表面の老廃物や微生物を除去することで、羽は清潔に保たれる。したがって、ウモウダニがいることで、鳥にも利益があり相利共生であると考えられている。例えば、トキは、現在、中国個体群を基にした繁殖によって、日本では野外個体群の回復が行なわれた。しかし本来、日本の個体群（からロシアにかけて分布していた）だけについていたトキウモウダニ *Compressalges nipponiae* Dubinin, 1950 は、日本産トキと一緒に絶滅してしまったと考えられる（Waki and Shimano, 2020）。

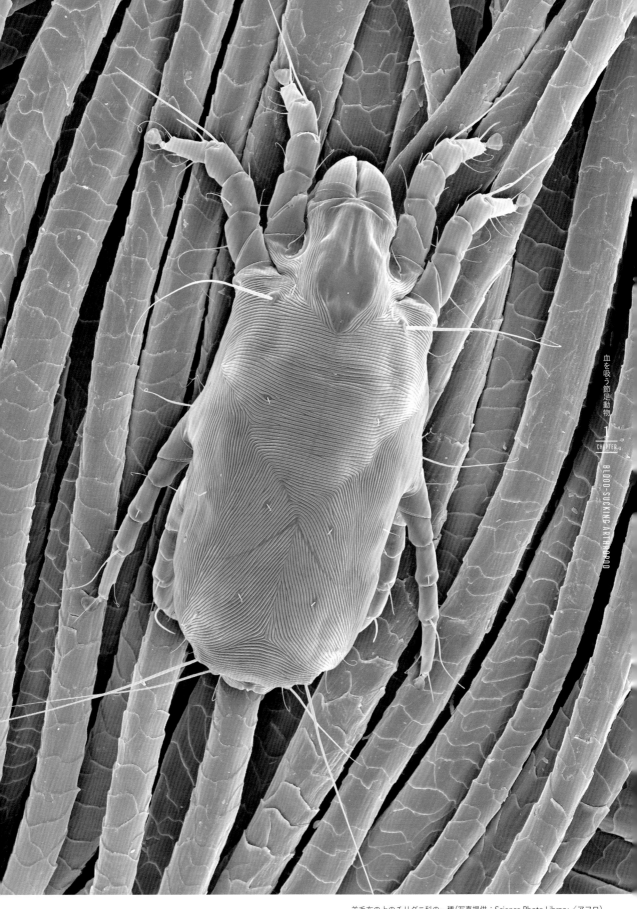

TICKS
Amblyomma testudinarium

素早い動きで宿主に寄生
タカサゴキララマダニ

タカサゴキララマダニの雌成虫
（左）と雄成虫（右）（写真撮影：
奥山清市）。

1カ月以上も食いついていた記録も――

学名	：*Amblyomma testudinarium*
分布	：東〜南アジア
英名	：無し
体長	：未吸血の成虫では約7.0mmで、吸血すると20mmを超える場合もある
体重	：吸血量に応じて変化
寄生対象	：成虫は大〜中型哺乳類に寄生し、幼若虫は鳥類や爬虫類を含めた中〜小型動物に寄生
誘引要素	：体温（熱）、二酸化炭素、化学物質（体臭）
活動時間	：不明
成虫の寿命	：1か月以上
その他	：幼虫，若虫，雌雄成虫のすべてが吸血する

体サイズが比較的大きいため相対的な表面積が小さく、乾燥に適応している。さらに、他のマダニ類と比べて歩行速度が速い。そのため、多くのマダニ類のように待ち伏せをして宿主に寄生するだけでなく、狩りもするようである。つまり、潜伏場所から宿主へ向かって素早く歩行し、食いつくのである。

成虫は大〜中型哺乳類に寄生し、特にイノシシを好む。

明らかに南方系の種であり、日本では本州以南に分布する。近年、分布域が拡大傾向にあり、北陸地方や房総半島南部のようにこれまで本種が見られな

1	2
3	4
5	

1. 葉の上にいるタカサゴキララマダニの雄成虫(写真撮影：山内健生)。2. ヒトの皮膚に食いついている若虫（写真撮影：奥山清市)。3. 飽血した若虫(写真撮影：山内健生)。4. 若虫から成虫への脱皮（写真撮影：山内健生)。5. 脱皮したばかりの雄成虫（写真撮影：開澤菜月)。

かった地域での定着が報告されている。こうした分布拡大にはイノシシの増加が関係しているようである。また、定着しているかは不明であるが北海道での本種の採集記録も報告されている。

　人から吸血することも多く、特に西日本での被害が多い。これは本種の分布が西日本に偏っていることと一致している。人体下半身の湿部を選択して吸血する傾向がみられ、刺されても長期間気づかれないことが多い。とりわけ本種雌成虫では寄生期間が長い場合が多く、1カ月以上も食いついたままであったという記録もある。本種は寄生期間中でないと交接できないが、雌雄が同時に人体に寄生することは稀であるため、人体に寄生した雌成虫は雄成虫を長期間待ち続けることになるからである。

　皮膚深くに刺し込むことのできる長い口下片を有するため、本種に刺された場合、その除去は容易でない。無理に除去しようとすると、口下片の一部がちぎれて体内に残る場合があるため注意が必要である。

　紅斑熱群のリケッチアを保有する他、SFTSウイルスの媒介可能性も指摘されている。

Haemaphysalis longicornis

畜産害虫として悪名高い

フタトゲチマダニ

葉の上のフタトゲチマダニ雌成虫
（写真撮影：吉田譲）。

単為生殖をする個体群が分布を拡大

分布域	：東アジア、オーストラリア、太平洋諸島、米国
英名	：cattle tick など
体長	：未吸血の成虫では約3.0mmだが、吸血すると10.0mmに達する
体重	：吸血量に応じて変化
寄生対象	：大〜中型哺乳類、鳥類
1度の吸血で得る血の量	：不明
誘引要素	：体温（熱）、二酸化炭素、化学物質（体臭）
活動時間	：不明
成虫の寿命	：200日以上
その他	：幼虫、若虫、雌雄成虫のすべてが吸血する

本種には、単為生殖系統（全国的に分布）と両性生殖系統（主として西日本、朝鮮半島南部、ロシア南部に分布）の互いに交雑できない2系統が存在する。単為生殖系統の染色体は3倍体（n＝30〜35）で、基本的に雌しか存在せず、単為生殖で増殖する。一方、両性生殖系統の染色体は2倍体（雌がn＝22, 雄がn＝21）で、雄と雌が存在し、両性生殖（有性生殖）で増える。単為生殖系統は両性生殖系統に比べて各発育ステージともわずかに大型であり、発育期間、温度に対する抵抗性などにも明らかな差が認められる。中国には無性生殖と有性生殖の両方が可能な系統が存在する。

1
―
2

1.フタトゲチマダニの雄成虫。体の背面が硬い背板でおおわれる（撮影：奥山清市）。2.産卵中の雌成虫（撮影：島田拓）。

　放牧地の他、ニホンジカの個体群密度が高い地域に多く生息する。また、単為生殖系統は、都市部においてもイヌを宿主として定着可能である。

　現在オーストラリアに分布する本種（単為生殖系統）は、19世紀にウシに寄生したまま日本から導入されたと推定されており、その後、ニュージーランドや太平洋の島嶼へウシと共に分布を拡大した。米国でも近年になって本種の定着が確認されており、分布は現在も拡大しつつある。

　日本では春から秋にかけて活動し、春には若虫が、夏には成虫が多く見られる。

　ウシにピロプラズマ病を媒介するきわめて有害な畜産害虫であり、放牧衛生管理上、その防除は重要な課題である。

　西日本における主要な人体寄生種であり、ヒトに日本紅斑熱などを媒介する他、SFTSの病原ウイルスを媒介する可能性が指摘されている。また、*Ehrlichia chaffeensis*、*Anaplasma bovis*などの病原体が本種から検出されている他、ポワッサンウイルスやダニ媒介性脳炎ウイルスなどといった病原ウイルスを媒介する可能性もある。

イヌに寄生中のクリイロコイタマダニ。条件が良いと大発生することもある(写真提供：Alamy)。

Rhipicephalus sanguineus

愛犬にさまざまな害をもたらす

クリイロコイタマダニ

犬小屋に大発生することも

分布域	：世界中に分布し，とりわけ熱帯・亜熱帯地域に多い
英名	：brown dog tick, kennel tick, pantropical dog tick
体長	：未吸血の成虫では約2.3～3.1mm
体重	：吸血量に応じて変化
寄生対象	：特にイヌを好むが， 　その他の動物に寄生することもある
1度の吸血で得る血の量：不明	
誘引要素	：体温(熱)，二酸化炭素，化学物質(体臭)
活動時間	：不明
成虫の寿命：不明	
その他	：幼虫，若虫，雌雄成虫のすべてが吸血する

イヌへの寄生に特化した種で，犬小屋に多数の個体が生息することもある。実験的にウサギの血を吸わせると，イヌの血を吸う時に比べて，満腹するまでに長い時間が必要となる。二酸化炭素などをたよりに，積極的に移動し，宿主動物を見つけて寄生する。イヌのあらゆる部位に食いつくが，頭部(特に耳)，趾間，背中，鼠径部，腋窩を好む。

満腹になった幼虫は主に日中に宿主から脱落するが，若虫や雌成虫は夜間に脱落する。そのため，雌成虫は，イヌが夜間滞在する場所で産卵できる。好ましい条件が揃えば，一年間に4世代を完了することができる。熱帯・亜熱帯地域だけでなく，一部の温帯地域でも一年を通して活動する。日本産の本種は米国からの移入個体群である。本州(富山県以南)，九州，南西諸島で記録されている。

イヌの病気を媒介する最も重要な感染症媒介動物の一つである。米国では，犬エーリキア症の原因となる*Ehrlichia canis*，犬バベシア症の原因となる*Babesia canis*など，イヌの病気の原因となる多くの病原体を媒介することが判明している。ヨーロッパ，アジア，アフリカの一部では，地中海紅斑熱(ボタン熱)やダニチフスなどの病原体である*Rickettsia conorii*を媒介する。また，米国南西部では，ヒトにロッキー山紅斑熱を引き起こす*Rickettsia rickettsii*を媒介することもある。

ヒトに寄生することは稀であるが，本種はヒトの住居内での生活に非常に適応しており，人獣共通感染症を媒介するため，注意が必要である。

Rhipicephalus (Boophilus) microplus

畜産害虫として世界に名を馳せる
オウシマダニ

生涯にわたり1頭の宿主動物から吸血し続ける

分布域	：世界中に分布し，とりわけ熱帯・亜熱帯地域に多い
英名	：Asian blue tick
体長	：未吸血の成虫では約6.0〜7.0mm
体重	：吸血量に応じて変化
寄生対象	：特にウシを好むが， 　その他の動物に寄生することもある
1度の吸血で得る血の量：不明	
誘引要素	：体温（熱），二酸化炭素，化学物質（体臭）
活動時間	：不明
成虫の寿命	：不明
その他	：幼虫，若虫，雌雄成虫のすべてが吸血する

かつては本種の属名として*Boophilus*が用いられていたが，現在では*Rhipicephalus*が用いられる。幼虫は草などに這い上がり，宿主動物が訪れるのを待つ。すぐに宿主動物へ寄生できなかったとしても，数か月間は餌なしで待ち続けることができる。

幼虫が宿主動物に寄生すると，その宿主の体の上で2回の吸血と脱皮を繰り返し，成虫となる。多くのマダニでは宿主からの吸血と離脱を繰り返すが，本種は成虫になるまで離脱せず，1頭の宿主動物に寄生し続ける（一宿主性）。生涯に寄生する宿主の数を減らすことは，生活環を短縮することに役立っている。幼虫が宿主に寄生してから35〜149日後に，満腹になった雌成虫が宿主から離脱する。離脱した雌成虫は，石の下などに産卵した後，死亡する。このようにして一年間に2〜3世代が繁殖を繰り返す。

畜産害虫として世界で最も重要なマダニ種である。ウシにバベシア症（病原体は原虫の*Babesia bigemina*と*Babesia bovis*）とアナプラズマ症（病原体は*Anaplasma marginale*）を媒介するため，熱帯・亜熱帯地域においては甚大な被害が生じている。実験的な条件下では，馬のピロプラズマ病の病原体である*Babesia equi*を媒介することもできる。

飽血したオウシマダニの雌成虫。この後，脱落し，地上で産卵する（画像提供：shutterstock）。

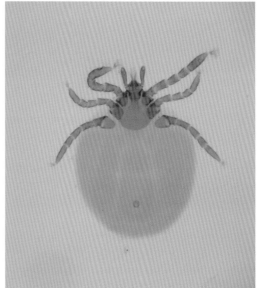

1 | 2

1. ヒトに食いついたシュルツェマダニの若虫。
2. 飽血したシュルツェマダニ幼虫のプレパラート写真（いずれも写真撮影：山内健生）。

シュルツェマダニの雄成虫。体の背面は硬くて黒褐色の背板におおわれる（写真提供：Alamy）。

Ixodes persulcatus

さまざまな感染症を媒介する

シュルツェマダニ

分布域	：東ヨーロッパ〜東アジア
英名	：taiga tick
体長	：未吸血の成虫では約3.5mm、 　飽血した雌成虫では約11mm
体重	：吸血量に応じて変化
寄生対象	：成虫は大〜中型動物に寄生し、 　幼若虫は小型哺乳類や鳥類に寄生
1度の吸血で得る血の量：500mg弱	
誘引要素	：体温(熱)、二酸化炭素、化学物質(体臭)
活動時間	：日中および夜間
成虫の寿命	：10か月程度
その他	：幼虫、若虫、雌雄成虫のすべてが吸血する

長い口器をもち除去が困難……

　寒冷地域に適応した種である。日本では北海道〜九州に分布する。南西日本では大きな山塊の標高約1,000m以上の寒冷地域に限って分布することから、それらは氷河期の残存個体群であると考えられる。東日本では平地にも分布し、ニホンジカ多産地では高密度となる。

　春から夏にかけて成虫が出現する。幼虫から成虫になるまでに3〜6年かかる。春に吸血した幼虫や若虫は、1〜2ヶ月間かけて血液を消化する。

　交接は垂直面上で行われることが多い。交接の際に雄成虫から雌成虫へボレリア属細菌（ライム病の病原体）が渡されるため、交接によっても感染個体が増加する。また，交接の際，片方または両方のマダニ個体にボレリア属細菌が感染していると、感染していない場合に比べて交接時間が長くなる。ボレリア属細菌は雌成虫から卵へ垂直感染するため、未吸血の幼虫にもボレリア属細菌を持つ個体が見つかる。

　本種による人体刺症の報告は多く、我が国では特に北海道と長野県での被害が目立っている。雌成虫の口器は長いため、食いつかれると除去が困難な場合が多い。

　ライム病、マダニ媒介性回帰熱（*Borrelia miyamotoi* 感染症）、ダニ媒介性脳炎、バベシア症、そしておそらくヒト顆粒球性アナプラズマ症も伝播する。東北地方では野兎病を媒介する可能性も指摘されている。日本では本種によるダニ媒介性脳炎の媒介例は確認されていないが、ロシアにおいては主要な媒介種であり、致死率も高いため注意が必要である。

シュルツェマダニの雌成虫。体の背面前半が硬い背板でおおわれる。シベリア・クラスノヤルスク地方で(写真提供：Alamy)。

1. ヤマトマダニの雄成虫の背面。背面全体が
硬い背板でおおわれる。2. 雌成虫。背面の前
半部が硬い背板におおわれる（いずれも写真
撮影：葛西真治）。

Ixodes ovatus

ヒトへの寄生は国内で最も多い
ヤマトマダニ

長い口下片をもつ厄介な種

分布域	：東〜南アジア
英名	：無し
体長	：未吸血の成虫では約3.0mm
体重	：吸血量に応じて変化
寄生対象	：成虫は大〜中型哺乳類やヤマドリなどに寄生し、幼若虫は穴居性の強い小型哺乳類に寄生
1度の吸血で得る血の量：不明	
誘引要素	：体温（熱），二酸化炭素，化学物質（体臭）
活動時間	：不明
成虫の寿命：10か月以上	
その他	：幼虫，若虫，雌雄成虫のすべてが吸血する

日本では北海道から屋久島にかけて分布し、本州中部以北における最普通種である。森林などの多湿な環境を好む。

若虫が脱皮して成虫になると約10か月間休眠する。成虫は春から夏にかけて活動し、初夏に発生のピークがある。夏に活動した成虫は秋になると死亡する。

成虫は植物の葉の裏などに潜み、訪れた大〜中型哺乳類に寄生する。イヌやネコなどのペットに寄生することも多い。幼若虫は、地表では見られないが、ネズミ類などの小型哺乳類に高頻度で寄生している。その

1. ヤマトマダニ雌成虫の腹面。脚の基部に突起を欠く（写真撮影：葛西真治）。2. 葉の上の雌成虫（写真撮影：葛西真治）。3. 指の上の雄成虫（写真撮影：山内健生）。

ため、幼若虫は、地中のネズミ類の巣穴などに生息すると考えられている。

雄成虫と雌成虫は地上で出会い、交接が行われる。雌成虫は、雄から受け取った精子（厳密には精子になる前の細胞）を長期間体内に貯蔵することができるため、交接後すぐに動物から吸血できなくても子孫を残すことができる。

本種による人体寄生例は、日本のマダニ目の中で最多で、特に東日本での被害が多い。人体では顔面、特に眼瞼を選択して吸血する傾向がみられる。

本種を含むマダニ属のマダニは、皮膚深くに刺し込むことのできる長い口下片を有する。そのため、本種の除去は容易でなく、無理に除去しようとすると口下片の一部がちぎれて体内に残る場合がある。

致死率の高いロシア春夏脳炎型のダニ脳炎ウイルスを媒介することが確認されているため、注意が必要である。さらに、本種からは紅斑熱群リケッチアやエーリキア症病原体の一種も分離されている。また、古くから野兎病菌の媒介可能性が指摘されてきた。

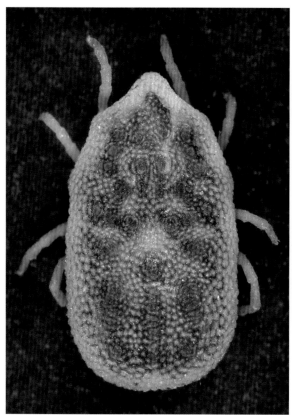

1 | 2

1. カズキダニ属*Ornithodoros*の雌成虫の背面。
口器は背面からは見えない。2. 雌成虫の腹面。
口器は腹面にある(いずれも写真提供:Alamy)。

Argasidae

マダニ科に近縁だが吸血戦略は大きく異なる
ヒメダニ科

10年も絶食する個体も……

分布域	:世界中に分布し, 特に南アジアにおける種多様性が高い
英名	:soft tick
体長	:成虫は8.0〜13.0mm
体重	:吸血量に応じて変化
寄生対象	:哺乳類,鳥類
1度の吸血で得る血の量	:吸血前の体重の5〜10倍
誘引要素	:体温(熱),二酸化炭素,化学物質(体臭)
活動時間	:夜行性の種が知られている
成虫の寿命	:10年以上生きる種もある
その他	:幼虫,若虫,雌雄成虫のすべてが吸血する

　ヒメダニ科は、マダニ科に近縁であるが、マダニ科のような硬い背板をもたず、背面から口器が見えない。世界に約200種,日本からは4種が記録されている。

　多くの種の幼虫は寄生後に数日間吸血を続けるが、若虫と成虫では分単位の短い吸血を繰り返し行うのが一般的である。したがって、マダニ科のように血液を濃縮することもなく、またセメント物質を分泌して口器を皮膚に固定する必要もない。当然、宿主動物の体上で若虫と成虫が見つかることは少ない。

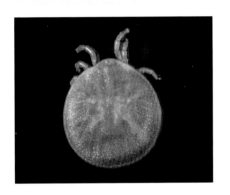

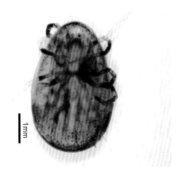

1mm

1
—
2 ｜ 3

1. 左側は脱皮したばかりの成虫。右側は脱皮殻（若虫の外皮）（写真提供：アフロ）。2. コウモリマルヒメダニ*Argas vespertilionis* の雌成虫（写真撮影：山内健生）。3. ツバメヒメダニ*Argas japonicus* の若虫（写真撮影：山内健生）。

マダニ科と異なり、複数（通常2〜5）の若虫期を経て成虫となる。成虫は雌雄とも複数回の吸血を繰り返す。雌成虫は飽血後に宿主から脱落し、地面（特に隙間）に産卵する。雌成虫1個体につき、吸血と産卵は最大で6回繰り返される。

　ほとんどの種は、宿主動物の巣穴の壁やその近くの石や木の割れ目などに潜み、周期的あるいは季節的に来訪する宿主を長期間待ち続ける。乾燥に強く、10年間も飲まず食わずで生存できる。

　カズキダニ属*Ornithodoros* の種は、ヒトにマダニ媒介性回帰熱を媒介する。また、ブタとイノシシの致死性感染症であるアフリカ豚熱の病原ウイルスは、ヒメダニ科の*O. moubata* や*O. erraticus* によっても媒介される。*Ornithodoros moubata* は、アフリカの固有種で、ヒトやイヌを含む多くの哺乳類に寄生する重要な感染媒介動物である。

　我が国では、コウモリマルヒメダニ*Argas vespertilionis* による人体刺症が報告されているが、大きな問題にはなっていない。

イットウダイ科の*Myripristis jacobus*の
頭部に寄生性甲殻類が見える。ケイマ
ン諸島近海（写真提供：Alamy）。

CRUSTACEANS PARASITIZING FISH

宿主に害の種も……？

魚類などに寄生する甲殻類

タイ科の*Lithognathus mormyrus*に2個体の寄生性甲殻
類が見える（写真提供：Alamy）。

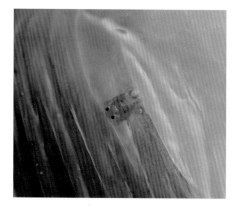

スズキの一種に寄生したチョウ類*Argulus foliaceus*
（写真提供：Alamy）。

ヨローッパミドリガニ*Carcinus maenas*に寄生したフクロムシの一種*Sacculina carcini*（写真提供：Alamy）。

時には人の深刻な寄生者となる……

甲殻類と言えば、普通、伊勢海老や毛ガニなどの高級食材を思い浮かべるだろう。が、実は、寄生性甲殻類も多いことはあまり知られていない。特に、魚病学的にはイカリムシ類*Larnaea cyprinacea*およびチョウ類*Argulus japonicus*（いずれも顎脚綱）が養殖や水族館展示用の種で深刻な疾病原因になる。これらは、ダニ類やシラミ類などのように、宿主の鰓を含む体表に寄生し、血液などの体液を奪取する。有効な駆虫手段として過酸化水素浴、淡水浴あるいはトリクロルホン散布などが推奨される。

しかし、魚の体表上に見られる多くの甲殻類は、魚病学的には問題視されず、ただいるだけの共生に近いように見える。それに、ウオノエ類（軟甲綱）というワラジムシの仲間が、一部の好事家を惹きつけるように、これら甲殻類の形は面白い。生態学的にもユニークで、フクロムシ類（顎脚綱）のようにカニに特異的に寄生する種も存在する。要するに甲殻類に甲殻類が寄生するのだ。いや、寄生性甲殻類上に別の寄生性甲殻類が認められることもある。たとえば、鯨の体表には寄生性フジツボ類（顎脚綱）がいるが、このフジツボを棲家にして、クジラジラミ類(軟甲綱)が生活をしている。

以上のように、魚や鯨など水棲動物に取り付く甲殻類は、いずれも外部寄生性であったが、陸棲動物（ニシキヘビや犬など）では呼吸器、すなわち内部寄生性の甲殻類シタムシ類（顎脚綱）がいる。なお、この場合の「シタ」とは舌を指し、概形に由来する。怖いのはニシキヘビのシタムシ類の場合、その幼虫が人の血流に乗り、あらゆる場所に流されていくということだ。しかし、この甲殻類が宿主（中間宿主含む）の血液を栄養源にするのかどうかは不明なので、本書メインテーマの吸血者に話題を戻そう。そして、先程、鯨の話が出て来たので、同じ海獣のアザラシやアシカなど鰭脚類でしめる。

なお、鰭脚類には昆虫のカイジュウジラミ類がいて、最近、日本の水族館で飼育された個体でも見出された。そもそも昆虫が海中で生活すること自体、ハードルが高く例外的で、そのような意味でカイジュウジラミ類は進化の極致のような生き物なのだ。実際、海の中で呼吸をするため、空気を溜める用途に特化した剛毛がユニークな形をしているのだ。そうはいっても、彼らは吸血性のシラミ類であることには変わりなく、鰭脚類の血管に寄生する線虫フィラリア類*Acanthocheilonema*属の中間宿主でもある。

コククジラ*Eschrichtius robustus*の体表に寄生したフジツボ類。その上にクジラジラミ（Cyamidae科の一種）が生息する（写真提供：Alamy）。

蚊とヒトの闘い

日本における蚊とそれが媒介する疾病の歴史

MOSQUITO vs HUMAN

芳年による「平清盛炎焼病之図」（明治16年）。平清盛が高熱にうなされ三日三晩悶え苦しんだ末に亡くなった様を描いた作品（写真提供：アフロ）。

人類の誕生と共に病あり。かつて日本では、病は怨念や祟り、物の怪によるものと考えられていた。平安時代では、病にかかると医者よりも陰陽師が呼ばれたという。平清盛が熱さにもがきながら亡くなったのは、1181年のことである。平家物語（巻第六）「身の内のあつき事、火をたくが如し」などの記載から、平清盛が亡くなったのはマラリアとの説が有力であるが、当時は蚊が病気を媒介するとは考えもしなかっただろう。古来より、マラリアは和良波夜美（わらわやみ）、衣夜美（えやみ）、瘧（おこり）と呼ばれ、江戸時代にはおこりが通称となり、ごくありふれた病だった。俳人、小林一茶は蚊を熱心に観察していたようで、蚊を詠んだ俳句も多い。「尻くらべ観音堂の藪蚊哉」（七番日記）お尻をあげて休んでいるハマダラカの特徴を捉えた句と推測される。その一茶もマラリアに罹患し、再発に悩まされていたというが、蚊が原因とは気が付いていなかったことだろう。平戸藩第9代藩主、松浦静山の随筆集、甲子夜話に「身細長なり、止まっているに尻上げて足長き如し」というハマダラカと思われる蚊についての記載があり、江戸でこの蚊が急に増えてきたと説明している。イギリス軍医ロナルド・ロスによってマラリア原虫が蚊によって媒介されることが実証されたのは、1897年、明治30年のことである。

1903年には全国で20万人であったマラリア患者は、抗マラリア薬、蚊帳や蚊取り線香の使用、DDT散布などにより減少するが、「戦争とマラリア」を忘れてはならない。第二次世界大戦時、沖縄県八重山列島では、疎開や強制移住などによって「戦争マラリア」と呼ばれる大流行が起きている。1944年にイギリス領インド北東部の都市インパール攻略を目的とした日本軍のインパール作戦では、飢え

と病で多くの将兵が倒れ、死体があふれた撤退路は「白骨街道」とまで呼ばれるようになった。

　わずか3、4か月で何万人もの命を奪った病は主にマラリアである。日本も多くの人々をマラリアで失ってきたのだ。

　主にコガタアカイエカが媒介する日本脳炎も日本における蚊とヒトの闘いである。1950年代には小児を中心に年間数千人の発生があったと考えられている。1966年は高年齢を中心に患者数は2000人を超えたが、ワクチン接種、蚊の発生源である水田の整備、主な感染源であるブタと距離を取ることで減少した。厚生労働省では、現在でもブタの日本脳炎抗体保有状況を調べており、未だ監視が必要な疾病である。

　特筆すべきは、リンパ系フィラリア症との闘いであろう。糸状虫という線虫を蚊が媒介する病で、バンクロフト糸状虫によるリンパ系フィラリア症は、四肢や性器の変形を引き起こし、古来より日本人を苦しめてきた。葛飾北斎による陰嚢象皮病患者の浮世絵から、江戸時代にフィラリア症が蔓延していたことが分かる。西郷隆盛も感染していたのは有名な話である。バンクロフト糸状虫症は全国的に広く分布していたが、伊豆諸島南部の八丈小島でバクと呼ばれ恐れられていた風土病は、日本で唯一のマレー糸状虫症であった。佐々学らの粘り強い調査により、トウゴウヤブカが媒介するマレー糸状虫症と判明したのは1950年のことである。八丈小島は1969年、集団離村を行い無人島となった。フィラリア症をコントロールするという強い思いと使命感を持つ研究者、医師、製薬会社、政府が連携し対策を行い、1988年、沖縄県での根絶宣言をもって、日本は世界で初めてフィラリアを根絶した国となった。

葛飾北斎による象皮病患者の浮世絵。男性の陰嚢がフィラリア症により巨大化している（所蔵：すみだ北斎美術館）。

1944年3月－7月。イギリス領インド北東部の都市インパールに対する進攻作戦。多くの将兵がマラリアに罹り命を落とした（写真提供：朝日新聞社）。

ヒトの血を吸血するシナハマダラカ雌成虫。

MOSQUITO vs HUMAN

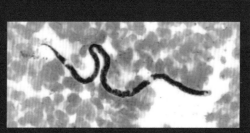

犬フィラリア症の原因であるイヌ糸状虫
Dirofilaria immitis。ギムザ染色。

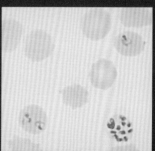

赤血球内に感染する熱帯熱マラリア原
虫 *Plasmodium falciparum*。ギムザ染色。

血を吸う環形動物

BLOOD-SUCKING

2
CHAPTER

ANIMALS

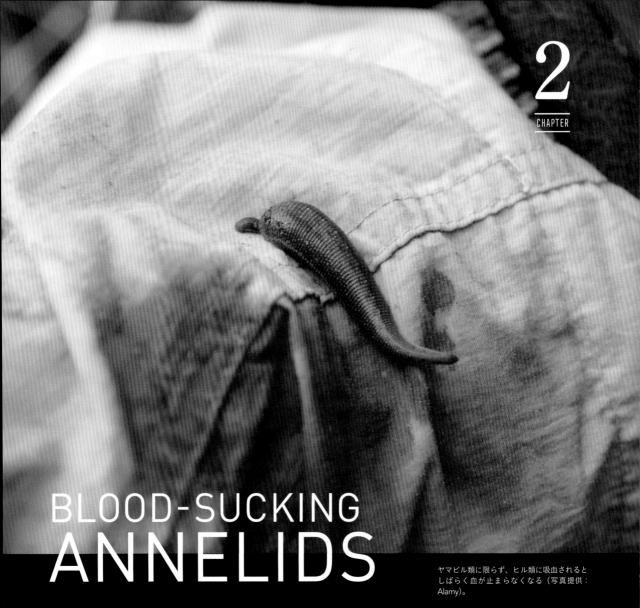

BLOOD-SUCKING
ANNELIDS

ヤマビル類に限らず、ヒル類に吸血されると
しばらく血が止まらなくなる（写真提供：
Alamy）。

血を吸う環形動物

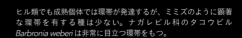

環帯類の共有派生形質である「環帯」、陸産貧毛類の成熟個体では
「環帯」が非常に顕著になる。環帯には卵胞を形成するための分
泌腺が集中している。

ヒル類でも成熟個体では環帯が発達するが、ミミズのように顕著
な環帯を有する種は少ない。ナガレビル科のタコウビル
Barbronia weberi は非常に目立つ環帯をもつ。

ヒルミミズ類はヒル類に近縁なグループ。尾
吸盤でザリガニ等の甲殻類の体表に張り付く
（写真提供：アフロ）。

血を吸う環形動物＝ヒル類

　環形動物は身体が体節構造から成る一群で既知種は2
万種を超える。無脊椎動物の中では、カ、ダニと並ぶ
吸血動物の代表格と言えるヒル目（あるいはヒル下綱；
Hirudinida）は、歴とした環形動物の一員である。本
グループの最大の特徴は吸盤と言って差し支えないだ
ろう。身体の末端に発達した尾吸盤（後吸盤）を有して
おり、尾吸盤で宿主の身体にピタッと吸着した上で吸
血行動を行う。ヒル目の既知種は700種程で割とコン
パクトなグループである。ただし、深海を含む海域、
淡水域（地下水も含む）、そして陸上という様々な環境
に進出しており、その宿主（あるいは獲物）も多様である。
本稿では、吸血性ヒル類の各種について説明する前に、
ヒル類そのものについて概説したい。

　ヒル類は環形動物の中でも、いわゆる「ミミズ」を含
む貧毛類と近縁であることが明らかになっており、更に、
貧毛類の中ではオヨギミミズ目と最近縁となることも
判明している。したがって、ヒル類は貧毛類の中に完
全に内包されており、貧毛類とヒル類を合わせて環帯
綱（Clitellata）とすることが現在では一般的となってい
る。環帯類の特徴としては、環帯を有することや、雌
雄同体であることを挙げることが出来よう。雨の際地

上に這い出してきたミミズを思い出して欲しい。その
ミミズの身体前方には、他よりも明るい色をしている
部位があると思うが、正にその構造が環帯である。環
帯には卵胞を形成するための分泌腺が位置しており、
ヒル類の中にも性成熟すると環帯が判別できる種が存
在する。

　本稿で扱うヒル類はヒル目のことであるが、このヒ
ル目はヒル亜綱（Hirudinea）に所属している。ヒル亜
綱の他のメンバーは、ヒルミミズ目（Branchiobdellida）
とケビル目（Acanthobdellida）で、前者はザリガニ類
を中心とした淡水棲甲殻類に共生しており、後者は魚
類に寄生する吸血動物で、どちらも北半球のみに生息
している。ヒル亜綱の3群は共通して尾吸盤を有してお
り、ヒル類の吸血行動において必須である、「くっ付く」
ための形質はヒル亜綱の共通祖先において既に獲得さ
れていたと考えられる。

　ヒル類は身体のほぼ全てが軟組織から成るため、確
実な化石証拠は乏しい。しかしながら、ヒル目の卵胞
と考えられている化石が、約2億年前の地層から得ら
れており、遅くとも後期三畳紀には出現していたと考
えられている。

Classification and Phylogenetic Relationships

吸血性グループは吻蛭類とチスイビル形類

ヒル類の主要なグループ

吸血性ヒル類を医療用として
伝統的に利用する地域は多い。

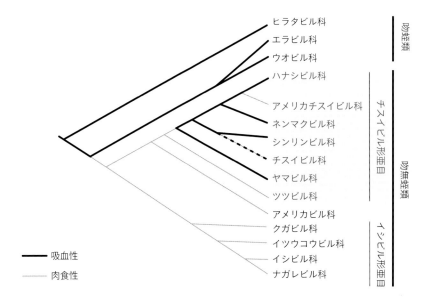

ヒラタビル科
エラビル科
ウオビル科
ハナシビル科
アメリカチスイビル科
ネンマクビル科
シンリンビル科
チスイビル科
ヤマビル科
ツツビル科
アメリカビル科
クガビル科
イツウコウビル科
イシビル科
ナガレビル科

吻蛭類
チスイビル形亜目
吻無蛭類
イシビル形亜目

━━ 吸血性
── 肉食性

ヒル目各科の系統関係と食性。ヒル目内において
吸血性は少なくとも2回獲得されたことが分かる。

ヒル目内の分類と系統

　2018年に提唱された最新の分類体系に従えば、ヒル類は5つの主要なグループに分けられる。すなわち、カイヨウビル形亜目(Oceanobdelliformes)、ヒラタビル形亜目(Glossiphoniiformes)、アメリカビル形亜目(Americobdelliformes)、イシビル形亜目(Erpobdelliformes)、そしてチスイビル形亜目(Hirudiniformes)、の5群である。これらの内、カイヨウビル形亜目とヒラタビル形亜目は、従来、「吻蛭類」として知られてきたグループである。吻蛭類は、咽頭内にストロー状の「吻」を有しており、吻を突出させ宿主に突き刺し吸血する。吻蛭類が単系統であるか否かは現在においても決着していないが、側系統群として扱われることが多い。カイヨウビル形亜目は、カメ類に寄生するエラビル科(Ozobranchidae)と、主に軟骨魚類や硬骨魚類に寄生するウオビル科(Piscicolidae)の2群を含む。ヒラタビル形亜目はヒラタビル科(Glossiphoniidae)のみから成り、本グループのヒル類は、無脊椎動物の体液や脊椎動物の血液を摂食する。

　残りの3亜目は従来「吻無蛭類」として認識されてきたグループで、いずれも吻を失っている。吻蛭類とは異なり、吻無蛭類の単系統性については広く支持されている。吻無蛭類の内、アメリカビル形亜目とイシビル形亜目の2群は捕食性のグループで、いずれも咽頭の筋肉が非常に発達しており、獲物を丸呑みにする種が多い。したがって、吸血性の吻無蛭類は全てチスイビル形亜目に所属する。本亜目にはチスイビルは勿論、ヤマビルやハナビルの仲間が所属しているが、捕食性種も知られている。チスイビル形亜目は7科に分けられることが一般的であるが、その内ツツビル科(Cylicobdellidae)とハナシビル科(Semiscolecidae)は捕食性で、残り5科、すなわち、ヤマビル科(Haemadipsidae)、チスイビル科(Hirudinidae)、シンリンビル科(Xerobdellidae)、ネンマクビル科(Praobdellidae)、アメリカチスイビル科(Macrobdellidae)、は基本的に吸血性である。ただし、チスイビル科の中には捕食性の種も知られている。

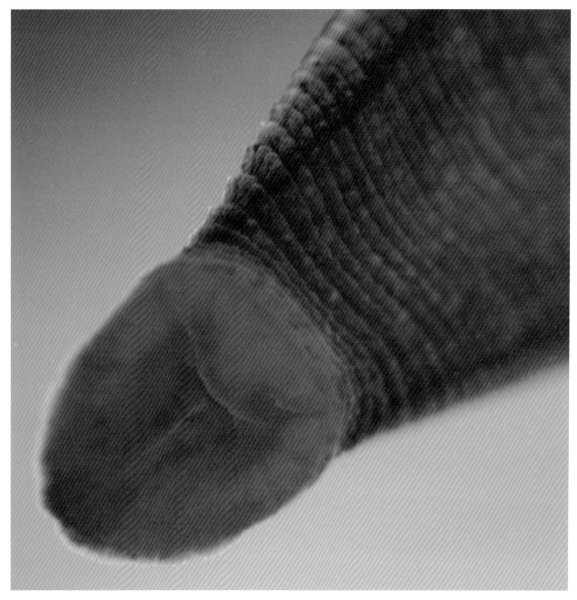

チスイビル形類ヒル類の口吸盤。吸盤の奥に顎が位置しているが、非吸血時に見えることはほとんど無い。

DUMMY VAMPIRE BAT

獲物に吸い付く"口吸盤"と"尾吸盤"
ヒルの構造を考える

チスイビル形類の基本型となる3つの顎。各顎の先端に位置する歯列を用いて獲物の皮膚を切り裂いて吸血する（写真提供：アフロ）。

ヤマビルは1体節5体環の構造の種が多い（写真提供：Alamy）。

ヒル目の基本的な形態（吸血性に着目して）

　環帯類としてのヒル目を特徴付けるのは、環帯と雌雄同体であるが、吸血動物としてのヒル類を特徴付ける形態について紹介しておきたい。先ずは吸血時にヒル自身の身体を固定する吸盤であるが、ヒル目は身体末端に位置する尾吸盤に加えて、身体前方も口吸盤（あるいは前吸盤）と呼ばれる吸盤構造となっている。身体の前後両末端が吸盤構造になっている点は、ヒル目の重要な形態的特徴である。ヒラタビル類やチスイビル形類では、非吸血時の口吸盤における吸盤らしさはさほどでもないが、吸血時には正に吸盤として機能する。カイヨウビル形類、特にウオビル科ヒル類では、口吸盤も尾吸盤に負けず劣らず発達している。

　ヒル目は環形動物であるので、その身体は幾つかのブロック（体節）から成っており、尾吸盤も体節由来で、具体的には後端7体節より形成された構造である。なお、ヒル類の体表はいくつもの輪からなっているが、1つ1つの輪は体節の表面に更に溝が走ることで形成された「体環」と呼ばれる構造で、体節ではない。1つの体節の表面が何個の体環に分かれるのかは、種、あるいはグループ毎にある程度決まっている。ヒラタビル科に属する主要なヒル類は、身体中央の各体節が3体環からなる。チスイビルやヤマビルなど、チスイビル形亜目ヒル類では1体節5体環が基本である。体環数の増大はウオビル科やイシビル形亜目に属するヒル類でよく見られ、ウオビル科の中には1体節の表面が14体環にも分かれる属が幾つも知られている。

尾吸盤で魚類に取り付く *Piscicola geometra*。ヨーロッパでは比較的よく見られるウオビル科ヒル類である（写真提供：Alamy）。

ため池を遊泳する。泳ぐ際は、背腹方向に身体を波打たせる（写真提供：Alamy）。

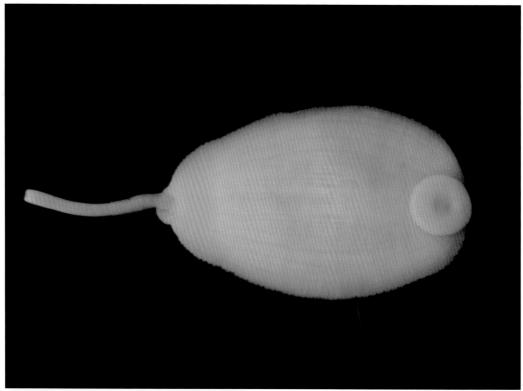

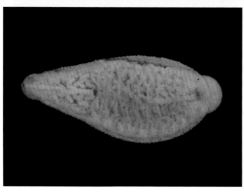

1
—
2

1. 吻蛭類の大きな特徴である「吻」が口から突出している。2. 写真ではすぼんでいる側盲嚢に吸った血液をため込む。

　ヒル類はヤマビル類に代表されるように、尺取り運動を行う。チスイビルが水中を泳ぐときも、身体を左右に波打たせるのではなく、背腹方向に波打たせる。水中ならびに陸上での柔軟な運動を可能としているのが発達した筋組織で、ヒル類の体内には、環状筋、縦走筋に加えて、斜走筋の3つの筋層と、背腹を垂直に結ぶ背腹筋が見られる。筋層は表皮側から、環状筋、斜走筋、縦走筋の順となっている。

　体表には感覚器官が発達しており、吸血源となる動物の放出する化学物質や振動等を敏感に察知する。ヒル類の多くの種は、身体の前方に複数対からなる「眼」を有している。像を結ぶことは出来ないが明暗を認識している。さらに各体節表面には感覚器官である乳頭突起や感覚突起が分布している。

　続いて消化管であるが、吸血性種の咽頭筋は、吻蛭類、チスイビル形類ともにあまり発達していない。吻蛭類の咽頭は非常に薄い膜構造で、その中に体外に突出する吻を有する。吻蛭類は、口吸盤を獲物に吸着させ、口吸盤内に位置する口から吻を突出させて獲物の体表に突き刺し、血液や体液を摂食するのである。吻蛭類の口はただの開口部といっても過言ではなく、肉眼で判別するのは容易でない。チスイビル形類のほとんどの科は咽頭隆起の先端に発達した「顎」をもっており、顎の先端にノコギリ状あるいはヤスリ状の「歯」を有している。この顎を使って宿主の体表を切り裂き吸血するのである。チルイビル形類は通常3つの顎を有しているが、ヤマビル科の中には背中に位置する顎を失い、2つの顎のみとなっているグループが存在する。吸血性

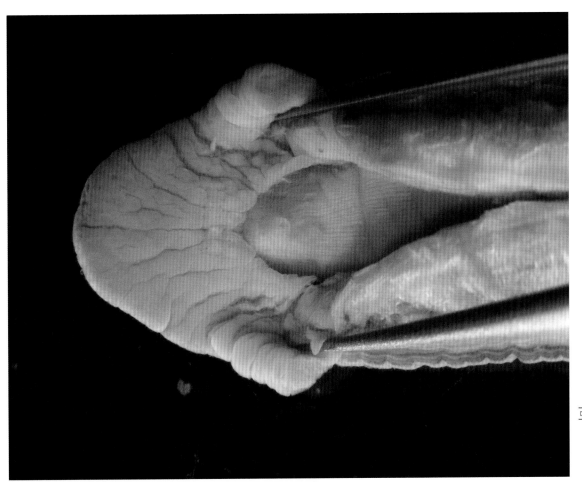

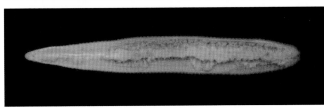

$$\frac{1}{2}$$

1. ナガレビル科ヒル類の各顎の先端には1組の牙が生えている。捕食性ヒル類のこの構造はかえしの役割をしていると考えられている。**2.** 捕食性ヒル類の消化管は直線的で、側盲嚢はほとんど見られない。

ヒル類においては、咽頭の両側に唾液腺が発達しているのも大きな特徴である。吸血時宿主に放出する様々な化学物質（麻酔成分やフィブリノーゲン阻害成分、そして血管拡張成分など）が唾液腺で生成される。

　胃と腸の形態は、捕食性ヒル類と吸血性ヒル類とで顕著に異なる。捕食性ヒル類が比較的直線的な消化管を有するのに対して、吸血性種では、胃も腸も複数対の盲嚢構造をもっており、宿主から得た血液や体液を蓄え長い期間をかけて消化できるようになっている。胃側盲嚢の中でも最終対は後胃側盲嚢と呼ばれ、身体後方、尾吸盤付近まで盲嚢構造が延びていることが多い。

　吸血性動物では、ビタミンB群の欠乏が大きな問題となる。ヒラタビル科ヒル類の中には、ビタミンB群を合成する細菌を共生させている細菌嚢と呼ばれる特別な器官を有しているグループが知られている。北米大陸に生息するイボビル属（*Placobdella*）ヒル類は1対の細菌嚢を有しており、アルファプロテオバクテリア類を共生させていることが知られている。また南米大陸に生息する *Haementeria* 属ヒル類では、2対の細菌嚢を有する事が知られている。いずれのグループの細菌嚢も食道に接続する。

　なお、イシビル形亜目に属するナガレビル科（Salifidae）ヒル類は、口腔内に「牙」と呼ばれる針状構造を3組有しており、チスイビル形亜目の3つ顎と同様、口腔内、咽頭隆起の先端に牙が見られる。ただし、牙は吸血行動に使われることはなく、捕食時に獲物を捉えるカエシの機能を有していると考えられている。

Prey Habits

"血を吸う"以外の種も含めて
ヒルは何を食べて（吸って）いるか

ヒル目の食性

　吸血性ヒル類の主要な宿主は脊椎動物であるが、軟体動物や節足動物を宿主とする種も知られている。吸血性ヒル類の特徴としては、宿主特異性が低いことが挙げられよう。宿主種が厳密に決まっているヒル類はほとんどおらず、多くの種が、広く様々な分類群を宿主として利用している。

　吻蛭類の主要な宿主は軟骨魚類、硬骨魚類、両生類、そして爬虫類の中でもカメ類であり、哺乳類を吸血する種はさほど知られていない。ウオビル科ヒル類は、軟骨魚類や硬骨魚類の様々な種の体表や口腔内に吸着し、宿主の血液を得て生活している。エラビル科ヒル類はカメ類の他にワニ類に寄生していた事例が報告されている。ヒラタビル科ヒル類の主要な宿主は両生類や魚類である。一方、軟体動物や貧毛類の体液を摂食する（吸血性ではなく吸体液性）種も非常に多い。ヒラタビル *Glossiphonia complanata* やハバヒロビル *Alboglossiphonia lata* は吸体液性種で、主要な獲物は腹足類である。チスイビル形亜目に属する吸血性種の主要な宿主は両生類や哺乳類である。

　ヒラタビル類、そしてチスイビル形類の一部の種に

ヒラタビル科ヒル類の多くは、軟体動物の血リンパを吸液する。

マレーシアのボルネオ島に生息する捕食
性のヒル*Gastrostomobdella buettikoferi*
（写真提供：Alamy）。

とって、鳥類は重要な宿主であり、かつヒル類そのものの分散にも大きな貢献を果たしていると考えられている。北半球に広く分布しているミズドリビル属（*Theromyzon*）は、水鳥を中心とした様々な鳥類の粘膜系、すなわち眼や鼻孔に寄生し、宿主の渡りに付随して長距離分散していることが知られている。チスイビル形類でも、ヤマビル類やネンマクビル類の中には鳥類の粘膜系に寄生する種が知られている。

　一方、アメリカビル形亜目、イシビル形亜目の2群は咽頭の筋肉が非常に発達しており、貧毛類や昆虫の幼虫などを丸呑みする。日本列島には体長が20cmにも到達する、ヤツワクガビル*Orobdella octonaria*やナカハマクガビル*Orobdella nakahamai*といった大型

のヒル類が生息しているが、これらはミミズ専食（ナメクジやサンショウウオの捕食事例も知られてはいる）で、その生涯において一度たりとも他動物を吸血することはない。クガビル類はイシビル形亜目に所属している。またナガレビル科に属するキバビル*Odontobdella blanchardi*やマネビル*Mimobdella japonica*も捕食性で、消化管内容物を調査していると貧毛類以外に甲虫の残骸などが発見されることがある。ただし、これら2種は後胃側盲嚢のみを有している。さらに、消化管に側盲嚢を有する他の捕食性ヒル類も知られていることから、胃側盲嚢が吸血性だけでなく捕食性種にとっても一定の機能を有していると考えられる。

　吸血性ヒル類がどのような分類群を宿主としている

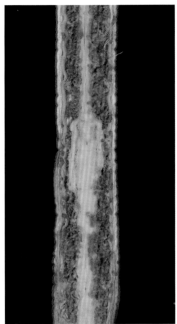

1	2
	3

1. キバビルの後胃側盲嚢の様子。
2. 貧毛類を襲うキバビル。自身より大きい獲物にも果敢に挑む。
3. クガビル類は陸棲貧毛類を専食する。

のか、宿主とヒル類の宿主―寄生生物関係を明らかにすることは、ヒル類そして宿主生物の自然史を統合的に理解するために重要なことである。最も確実な宿主の記録は、実際の寄生、吸血現場を押さえることであり、本稿執筆現在においても、今まで未知であったヒル類の宿主―寄生生物関係の報告が続いている。一方、2010年代に入って、大きな進展が見られたのが、無脊椎動物由来DNA（invertebrate-derived DNA＝iDNA）の解析によるヒル類の宿主特定である。吸血性ヒル類は消化管の側盲嚢に宿主の血液を貯蔵しているので、その貯蔵血液からDNAを抽出し、配列を決定することで、「血液の持ち主」を明らかにしようという取組である。2010年代後半には、ヤマビル類を対象としたiDNA解

析で、今まで未知であった複数の宿主（特に鳥類）が明らかになるなど、いくつもの重要な成果が発表されている。iDNA解析は吸血性ヒル類における宿主―寄生生物関係の解明にとって、今後欠かすことの出来ない強力なツールであることは間違いない。ちなみに2018年には、実際の観察とiDNA解析によって、カの1種である*Uranotaenia sapphirina*が環形動物特異的に吸血し、アメリカチスイビル科に属するヒル類*Macrobdella decora*と*Philobdella floridana*もその宿主であることが明らかになっている。

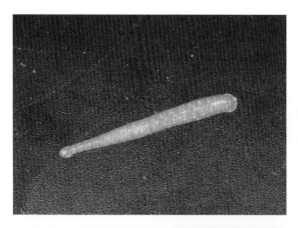

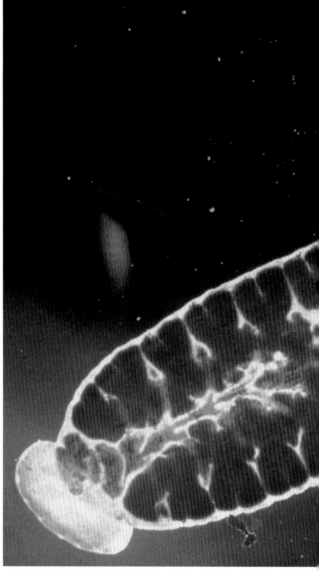

```
 1 
───  3
 2 
```

1. 非常に小型だが背面は比較的カラフルで、乳頭突起も目立つ。
2. 吸血した個体は胃側盲嚢がパンパンに膨らむ。全11対の胃側盲嚢を有することがよく分かる。3. ヒラタビル科ヒル類は保育を行う。腹面に多くの幼体を抱えて移動する。

GLOSSIPHONIIDAE

小型だが側盲嚢をフル活用
ヒラタビル科

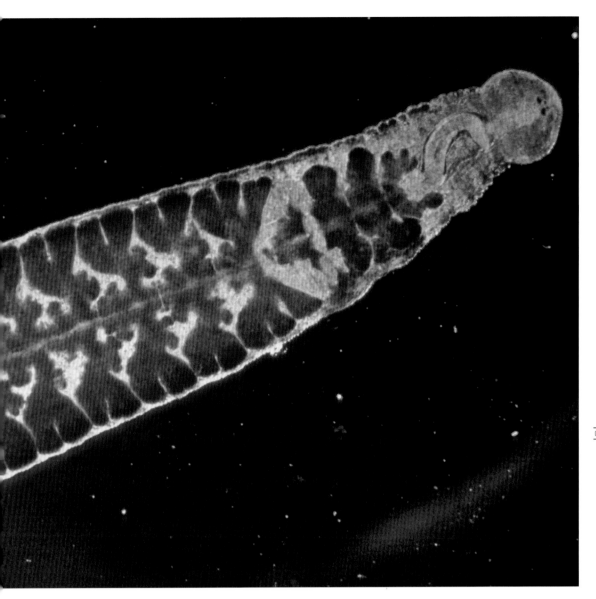

▶ヒラタビル科　アタマビル

幅広い宿主に寄生する

和名	：アタマビル
学名	：*Hemiclepsis marginata*
分布域	：ユーラシア大陸に広く分布
体長	：〜10mm
吸血源	：淡水魚、両生類

　ヒラタビル科ヒル類の中でも小型の種で、ユーラシア大陸に広く分布していると考えられている。小型ながら側盲嚢は多く、後胃側盲嚢も含めて11対もの胃側盲嚢を有している。淡水魚類の寄生例が多く知られており、東アジアにおいてはコイ、フナ、ナマズ、タウナギへの寄生が知られている。また、ニホンウナギの幼魚に寄生していたとの報告もある。両生類ではカエル類を吸血することが知られている他、オオサンショウウオへの寄生も報告されている。また、淡水カメ類に寄生することも知られている。背面は鮮やかな色彩を呈しているが、腹面は緑色半透明で、吸血前か後か、胃側盲嚢にどれほど宿主の血液が残存しているかは、生きている個体の腹面を見れば一目瞭然で判断できる。アタマビル属（*Hemiclepsis*）ヒル類は細菌嚢を有していない。

二枚貝をシェルターとして利用

カイビルは体色が全体的に黄色で、背面に不規則な茶色い模様が走る。

和名	：カイビル
学名	：*Hemiclepsis kasmiana*
分布域	：極東ロシア、朝鮮半島、日本列島
体長	：〜10mm
吸血源	：淡水魚、二枚貝類（？）

　イシガイ科二枚貝の殻内に見られるヒラタビル科ヒル類で、従来二枚貝寄生性種であると考えられてきた。2019年に発表された論文によって、主要な吸血源は淡水魚類であることが明らかになった。二枚貝はシェルター兼産卵場所として利用しており、カイビルは産卵時殻の外に出てきて、二枚貝の貝殻の上に卵胞を産卵、孵化まで親個体が上に覆い被さり保護することが明らかになった。孵化後の幼体を親が抱え込み、二枚貝の殻内に戻る。二枚貝の体液を摂食しているか否かは本稿執筆時点で明らかになっていない。

個性的な "1体節2体環"

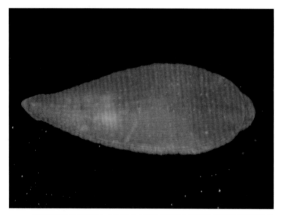

ツクバビルをはじめとしたスクナビル類は体色が緑色で感覚突起がやや発達している。

主にアカガエル類に寄生する。特に複数個体が1個体に寄生していることが多い。

和名	：ツクバビル
学名	：*Torix tukubana*
分布域	：日本
体長	：〜10mm
吸血源	：両生類

　ツクバビル、そして近縁種であるスクナビル *Torix orientalis* やタゴビル *Torix tagoi* といったスクナビル属（*Torix*）ヒル類は、両生類に特化したヒラタビル科の種で、属の分布域は日本列島ならびに朝鮮半島である。生息環境は山地の渓流で、待ち伏せ型の吸血様式

を示す。自由生活時には渓流中の石の裏に張り付いており、吸血源がやって来るのを待っている。両生類が石の下に潜り込んできたところで、吸血源に移動し、その後体表を移動しながら繰り返し吸血を行う。主な宿主は、タゴガエルやヤマアカガエルといった山地に生息しているアカガエル類であるが、ハコネサンショウウオにも寄生することが知られている。体色は一様に緑色、乳頭突起や感覚突起が若干発達しており、胃の側盲嚢は7対。2020年に発表された分子系統解析の結果は、スクナビル属がアタマビル属と近縁であることを示した。アタマビル属と同様、少なくともツクバビルは細菌嚢を有していないことが明らかになっている。

　スクナビル類の最大の特徴は、体環数にあり、ヒラタビル科ヒル類の基本形である、1体節3体環ではなく、1体節2体環である。体環数の減少は北米大陸や南米大陸に生息するヒラタビル科ヒル類においても知られており、かつてはOligobdella属という固有の属として扱われていたが、2000年代と2010年代に行われた分子系統解析の結果、北米に生息する種はイボビル属（Placobdella）に、南米に生息する種はHaementeria属に所属することが明らかになり、現在それぞれ、Placobdella biannulata と Haementeria brazilensis として扱われている。体環数の減少はヒラタビル科の複数の系統において独立して二次的に生じたと考えられている。

▶ヒラタビル科　カメビル
捕獲したカメ類に吸着していることも

クサガメの頭部に吸着するカメビル。爬虫類を吸血することが出来る数少ない邦産ヒラタビル類である。

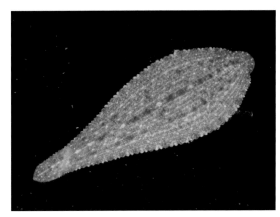

体色は明るく、乳頭突起も発達している。大型で発達した吻を有する。

和名	：カメビル
学名	：*Parabdella quadrioculata*
分布域	：東アジア
体長	：〜20mm
吸血源	：両生類、爬虫類、(哺乳類)

　カメビルは東アジアに産するヒラタビル科ヒル類の中では大型化し、主要な宿主はカメ類で、クサガメやスッポンに寄生することが知られている他、アカガエル類にも寄生する。平地の淡水環境に生息しており、カメ類に吸着した状態で見られることも多い。体表の乳頭突起と感覚突起が非常に発達しており、尾吸盤の背面にも感覚突起が環状に分布している。胃側盲嚢は7対で、細菌嚢は有していないと考えられている。

　興味深いことに、2013年にはカメビルのヒトへの吸血事例（吸血されたのは2009年）が報告されている。ヒラタビル科ヒル類の多くは小型で、その吻は決して堅くないため、多くのヒラタビル科ヒル類は、ヒトを含む哺乳類の体表を吻で貫き、その血液を摂食することは出来ないと考えられている。一方、中南米に生息するヒラタビル科Haementeria属ヒル類のHaementeria ghilianii と Haementeria officinalis については、ヒトを含む哺乳類を吸血することが知られている。どちらも大型の種であるが、特にHaementeria ghilianii では最大体長が50cmにも達し、これはヒル類の中でも最大サイズである。Haementeria ghilianii は爬虫類の血液だけで性成熟することが可能であるが、哺乳類の血液に対して嗜好性を示すことが知られている。さらに、本種は性成熟するまでに4回吸血し、最後（4回目）の吸血では自身の体重の3倍（約14g）の血液を2時間かけて吸い、その消化に3ヶ月以上費やすなど、その吸血様式が詳細に解明されている。カメビルやHaementeria属の2種のように爬虫類の厚い表皮を貫通出来る吻を有している大型のヒラタビル科ヒル類では、哺乳類からも吸血することが出来るのであろう。

PISCICOLIDAE

汽水・海水のさまざまな魚類に寄生
ウオビル科

ウオビル科ヒル類は魚類への寄生に特化したグループ。口吸盤も非常に発達している。

▶ウオビル科　ヒダビル

発達した呼吸嚢が特徴

和名	：ヒダビル
学名	：*Limnotrachelobdella okae*
分布域	：東アジア
体長	：〜60mm
吸血源	：硬骨魚類

　ウオビル科ヒル類は、その身体が、身体前部の細くなった頸部と太く発達した胴部に明確に分かれる種と、頸部と胴部が明確に分かれない種が存在するが、本種を含むヒダビル属（*Limnotrachelobdella*）は前者に該当するウオビル類である。宿主特異性は低く、様々な種類の海水魚ならびに汽水魚への寄生が報告されてい

る。本種は胴部体節の両側に見られる呼吸嚢と呼ばれる構造が発達しており。外見から容易に呼吸嚢が認識できる。ウオビル科ヒル類の多くのグループが呼吸嚢を有しており、血液循環のためのポンプ（小さな心臓）として機能している。

　ヒダビルの近縁種であるマミズヒダビル *Limnotrachelobdella sinensis* は、コイやフナなどの淡水魚に寄生する。ヒダビルと同様外部から容易に識別できる発達した呼吸嚢を有している。2000年代以降、日本の一部河川より報告されているが、外来種であると考えられている。

▶ウオビル科　アカメウミビル

赤く見える眼をもつ

和名　：アカメウミビル
学名　：*Stibarobdella macrothela*
分布域：汎世界的
体長　：〜80mm
吸血源：軟骨魚類

　アカメウミビルは、乳頭突起や感覚突起と呼吸嚢が発達したウオビル科ヒル類で、頸部と胴部は明瞭に分かれない。口吸盤には赤色の発達した眼を有しており、容易に判別可能である。サメやエイなどの板鰓類に広く寄生し、野外だけでなく、水族館などの飼育環境下にある板鰓類への寄生例も多い。

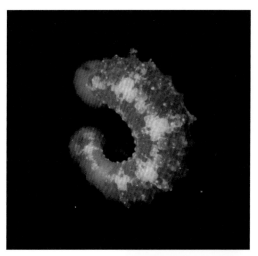

$$\frac{1}{2}$$

1. 口吸盤の背面には、和名の由来である「アカメ」が顕著に発達している。2. ヒダビルは胴体部分が非常に発達しており、両側の呼吸嚢も良く分かる。

多数の卵胞が付着したズワイガニ。カ
ニビルの卵胞は日本海で得られたこと
の証拠でもある。

▶ウオビル科　カニビル

吸血は魚類、産卵は甲殻類

和名	：カニビル
学名	：*Notostomum cyclostomum*
分布域	：日本海，ベーリング海，太平洋北東部
体長	：～100mm
吸血源	：硬骨魚類

　ズワイガニの甲羅に付着している茶色のカプセルを
見たことがある読者は多いことと思う。そのカプセル
は、カニビルの卵胞である。売られているズワイガニ
にカニビルそのものが付着しているのを目撃したこと
がある、幸運な読者も中にはいることだろう。本種は、
実は現代の日本人にとって最も身近なヒル類かもしれ
ないが、その生態はまだ未解明なことが多い。本種は
カニビルという和名で、ズワイガニの体表に産卵する

種であるが、ズワイガニそのものを吸血しているわけ
ではなく、ズワイガニはあくまで「卵胞を付着させる
場所」として利用していると考えられている。1984年
に発表された研究でカニビルの生活史について詳細に
検討されており、カニビルが甲殻類を吸血しないこと、
宿主は魚類（スナガレイ属の一種が宿主であると推定
されている）であると結論づけられた。吻蛭類やイシ
ビル形類の多くの種は、ツルッとした膜に包まれた卵
胞を、固い物に付着させる産卵様式をとる。淡水棲種
の多くは、石や朽ち木などに産卵するのだが、そのよ
うな産卵に適した非生物的要素がない場合、カニビル
はズワイガニの体表に、あるいは先に紹介したカイビ
ルは二枚貝の貝殻に産卵するのである。カニビルはズ

ワイガニだけでなく、巻き貝の貝殻に産卵することも知られている。一方、具体的にどの魚種を宿主としているのかに関する知見は乏しく、吸血動物としての実態はまだ謎に包まれている。

　日本海の個体群は1910年に、*Carcinobdella kanibir* というインパクトのある学名で新種として記載されたのだが、*Notostomum cyclostomum* と同種とされ、*Carcinobdella kanibir* の学名は使われていない。なお、同様の産卵様式を示す種として、キタノカニビル *Johanssonia arctica* がおり、日本海にも生息している。

　一方甲殻類の体液を摂食するウオビル科ヒル類も知られている。2009年に公表された論文によって、南大西洋、ブラジル沿岸の海域や汽水域に生息する *Myzobdella platensis* はワタリガニ類の一種である *Callinectes bocourti* の体液を吸うことが確認された。*Myzobdella* 属に所属するヒル類は従来、カニビルと同様、甲殻類は産卵のみに用い、吸血源は魚類であると考えられていたので、インパクトのある新知見であった。他にもバイカル湖に生息するウオビル科ヒル類の *Baicalobdella torquata* は同湖に生息するヨコエビ類の体液を吸うことが知られている。一方、*Baicalobdella cottidarum* は専らバイカル湖に生息するカジカ科魚類を宿主とすることが知られている。なお、*Baicalobdella* 属ヒル類はウオビル科の中では珍しく、1体節が3体環からなる。

Hirudiniformes: Hirudinidae

血を吸うヒルの代表格
チスイビル形亜目 チスイビル科

瀉血などで利用される*Hirudo medicinalis*。ヒルの唾液に含まれるヒルジンという抗凝固物質が、血腫の排出などに有効だとされる（写真提供：アフロ）。

チスイビル科ヒル類は養殖業が盛んで、瀉血用に用いられる他、アジア圏では漢方として出荷される。

"Y字形"に皮膚を切り裂く
鋭い歯

和名	：チスイビル
学名	：*Hirudo nipponia*
分布域	：東アジア
体長	：〜70mm
吸血源	：両生類，哺乳類

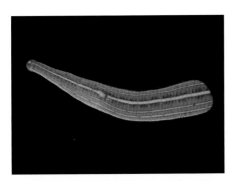

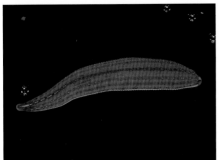

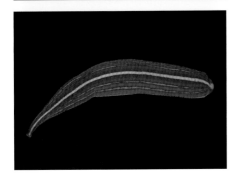

1
―
2
―
3

1. チスイビルは身体前方も比較的発達しており、背中央中央には黄色線が走る。2. ウマビルは捕食性種。身体前方が窄んでいる。背面の模様が斑点状であることが特徴。3. 日本の水田で最も普通に見られるのがセスジビルである。ウマビルと同様身体前方が窄んでいる。背面中央の線が連続なのが特徴的。

　日本においてはニホンヤマビルと並びヒルの代表格といって過言ではないチスイビルであるが、近年は農薬等の影響により、各地で個体群の消失や個体群密度の減少が生じていると考えられている。チスイビル科ヒル類をはじめ、多くのチスイビル形亜目ヒル類は、身体前方にアーチ状に配置された5対の眼を有する。発達した顎を有し、各顎には55〜70程の歯が見られる。その顎と歯でY字型に吸血源の皮膚を切り裂き吸血する。各歯の先端は二叉構造になっていることが、1977年に発表された走査型電子顕微鏡を用いたチスイビルの微細構造観察により明らかになっている。後胃側盲嚢を含む、胃の側盲嚢は全部で10対。主な吸血源は両生類(アカガエル類)や哺乳類で、当然ヒトも吸血する。更に飼育環境下において、硬骨魚類やカメ類、そして水鳥なども吸血したことが報告されており、脊椎動物の様々なグループを吸血源に出来ると考えられる。70mmはほぼ本種の最大体長でめったに見かけることはなく、通常体長は50mmに到達する程度。

　ヨーロッパには*Hirudo medicinalis*、そして近縁な複数種(*Hirudo verbana*、*Hirudo troctina*、*Hirudo orientalis*)が知られており、医療利用のための養殖業者も存在する。日本に生息するチスイビルは、キスイビル属とは異なるグループに所属する可能性が、2009年に発表された分子系統解析の研究によって示されている。そしてチスイビルと近縁だと考えられているのが、アジアに生息するウマビル属(*Whitmania*)ヒル類である。ウマビル*Whitmania pigra*、セスジビル*Whitmania edentula*などのウマビル類は、東アジアの淡水環境(水田、湖沼、河川)などに広く生息するチスイビル科ヒル類で、チスイビルと同所的に見られることも多く、むしろセスジビルは日本において最も普通に見られる淡水棲チスイビル科ヒル類である。ただしこのウマビル属ヒル類は全て捕食性で、淡水環境に生息する小型巻き貝類を摂食する。ウマビル属ヒル類は、窄んだ頭部を有する、顎はあるが歯がヤスリ状になっている、側盲嚢が退化的である、という特徴を有している。その小型化した頭部を巻き貝の殻口に突っ込み、ヤスリ状の歯で軟体部を刮ぎ取り摂食するのである。チスイビル科には、ウマビル属と同様に、貧毛類等を捕食する*Haemopis*属が所属しており、主に北米大陸に生息している。先述した分子系統解析に結果によると、*Haemopis*属は*Whitmania*属とは近縁とならず、このことから、チスイビル科内においても、吸血性から捕食性への食性の進化が独立して複数回生じたことが明らかになっている。

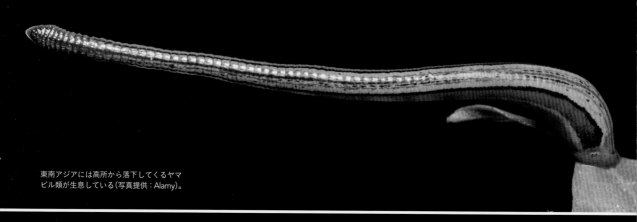

東南アジアには高所から落下してくるヤマ
ビル類が生息している（写真提供：Alamy）。

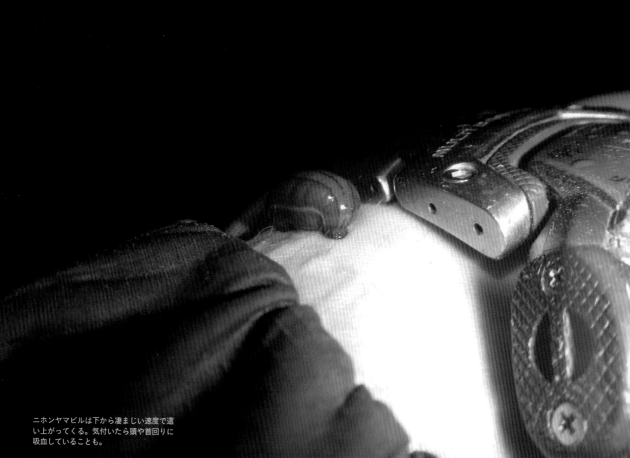

ニホンヤマビルは下から凄まじい速度で這
い上がってくる。気付いたら頭や首回りに
吸血していることも。

Hirudiniformes: Haemadipsidae

陸地を匐う吸血動物
チスイビル形亜目　ヤマビル科

ヒル類では珍しく陸上の環境に適応

和名　：ニホンヤマビル
学名　：*Haemadipsa japonica*
分布域：東アジア
体長　：～40mm
吸血源：両生類，哺乳類

　ニホンヤマビルは、先に紹介したチスイビルと並ぶ、日本を代表する吸血性ヒル類である。顎は3つで、各顎には～90程の歯が1列に並ぶ。チスイビルと同様、吸血跡は逆Y字形となる。胃側盲嚢は後胃側盲嚢を含め全部で11対。ニホンヤマビルの一般的な色彩では、身体全体が茶色を呈し、背中に三本の黒い縦線が走るが、色彩の変異は大きく、背面の条線をもたない個体も見られる。眼は5対がアーチ状に並び、乳頭突起も比較的発達している。ヤマビル類は、陸上環境への適応を果たした数少ないヒル類の一群であり、他チスイビル形類延いてはヒル類に見られない特徴的な形質を幾つか有している。先ず、「腎管孔」と呼ばれる、身体中央部の各体節がもつ排尿のための孔が、身体の横側についている。なお、他ヒル類の腎管孔は全て腹側に位置している。ヤマビル類は、身体側面に位置する腎管孔から排尿し、自身の尿で身体全体を湿った状態にしていると考えられている。加えて、尾吸盤は、その前端に僅かな突起があると共に、尾吸盤の腹面には、指紋のように放射状に線が走っている。いずれも、尾吸盤の吸着、把握能力を高めるためだと考えられている。

　ヤマビル類は、震動や影、吸血源が吐き出す二酸化炭素や吸血源となる動物の温度に敏感で、空腹状態の個体は猛烈な速度の尺取運動で、吸血源に向かってくる。大型個体の吸血時間は1時間以上に及び、十分吸血すると吸血源から脱落する。孵化から産卵に至るまでの吸血回数は3～4回で、早くて3ヶ月ほどで産卵に到達する。最終吸血後の成熟個体は、フリルが付いた卵胞を落葉層中や石の下に産卵する。フリル付きの卵胞はヤマビル類を含むチスイビル形類の特徴の1つである。

　ヤマビル類の吸血様式や生態については、1996年に出版された、千葉県南部に生息する個体群に関する研究に詳しい。それによると、ニホンヤマビルは最大限に吸血すると吸血後、体重は吸血前の約10倍に到達する。さらにそこにはからくりがあり、吸血時には、吸血前の体重の約2倍の水分を腎管孔から排出しながら、体重の11倍以上の血液を実際には吸血する。主な吸血源は哺乳類であるが、昆虫類を吸血源とすることも報告されている。加えて、ニホンヤマビルは高所から吸血源めがけて落下「しない」ことも、実験の結果確かめられている。ニホンヤマビルにおける高所から落下しないという性質は、三重県の「こどもヤマビル研究会」によって後にも実証されている。

　ニホンヤマビルは、ヤマビル類の中では「ground leech（地上徘徊性種）」として認識されている種である。地上徘徊性ヤマビル類は地面から吸血源の脚や身体の一部に這い上がり、吸血箇所まで攻め上がってくる。一方、東南アジアには吸血源めがけて高所から落下してくるヤマビル類が存在し、「stinging leech（有痛性種）」として知られている。有痛性種である *Haemadipsa picta* や *Haemadipsa ornata* の背面は鮮やかな色彩を呈し、通常、背の高い草本の葉や、樹木の葉の裏に、身体を伸ばした状態で待機しており、吸血源が接近すると、そこから尺取運動で接近するか、吸血源に落下する。通常、ニホンヤマビルを含む地上徘徊性ヤマビル類に咬まれても唾液中の麻酔成分によって無痛であることがほとんであるが、*Haemadipsa picta* や *Haemadipsa ornata* に咬まれると、文字通り痛みが走る。有痛性種は、唾液中の麻酔成分を失っており、正に強襲形の吸血性ヒル類と言えよう。

　ニホンヤマビルについては、2000年代以降DNA解析を用いた吸血源特定の研究成果が発表されており、2019年と2020年には、iDNAの研究成果も発表されている。その結果、ニホンヤマビルの主要な宿主はニホンジカ *Cervus nippon* であるが、カエル類、特に山地環境に生息するヒキガエル類 *Bufo* spp.、アカガエル類 *Rana* spp.、そしてモリアオガエル *Zhangixalus arboreus* を吸血していること、更にシカが生息していない地域に生息するニホンヤマビルでは、それらカエル類が主要な宿主となることが明らかになった。

　ニホンヤマビルの分布や個体群密度は、その吸血動物の個体群動態と結びつけて語られることが多い。特に「ニホンジカの増加と分布拡大に伴い、ヤマビル類も増えた」という言説をしばしば耳にする。これまでのiDNA研究によって、ニホンヤマビルの主要な吸血源がニホンジカであることは疑いがない。一方、日本列島全体における分布の視点から考えると、江戸時代中期～1945年と、1946年～1980年代までで、分布域に大きな変化はないことを、精力的な調査から明らかにした研究が2018年に発表されている。

血を吸う環形動物

2
CHAPTER

BLOOD-SUCKING VERTEBRATE

東アジアの島嶼に生息するヤマビル

和名	：サキシマヤマビル
学名	：*Haemadipsa rjukjuana*
分布域	：琉球列島、台湾、可居島（韓国）
体長	：〜40mm
吸血源	：哺乳類, 鳥類

　日本列島にはヤマビル属ヒル類が2種生息している。ニホンヤマビルの分布域南限は屋久島であり、屋久島以南の琉球列島には、サキシマヤマビルが生息している。主要な分布域はトカラ列島、先島諸島（石垣島と西表島）、台湾、そして本種は朝鮮半島南西に位置する可居島に生息している。背面は茶〜灰色で黒色斑紋を有し、腹面は黒色で、ニホンヤマビルとは全く異な

る色彩を呈する。ニホンヤマビルと同様、地上徘徊性ヤマビル類であるが、ニホンヤマビルとは近縁でなく、中国大陸部に生息するヤマビル類（*Haemadipsa limuna*）と近縁であることが明らかになっている。

　各顎が有する歯の数は約80で、ニホンヤマビルより若干少ない。胃側盲嚢は後胃側盲嚢を含め全部で11対。大型個体の吸血時間は60〜90分程で、十分吸血すると吸血源から脱落する。サキシマヤマビルは、琉球列島のトカラ列島や、韓国の可居島など、分断された島嶼に生息している。鳥類を吸血することが示唆されているので、鳥類に付着して分布域を拡大したと考えられる。

アジアの洞穴性ヤマビル

和名	：ブリョウドウケツヤマビル
学名	：*Sinospelaeobdella wulingensis*
分布域	：中国湖南省武陵山脈
体長	：〜50mm
吸血源	：哺乳類（翼手類）

　中国南西部からインドシナ北部には洞窟性ヤマビル類が分布している。ドウケツヤマビル属（*Sinospelaeobdella*）には現在2種が認められており、中国南部武陵山脈からブリョウドウケツヤマビルが、そして、中国南西部雲南省からインドシナ北部に分布する洞窟からドウケツヤマビル*Sinospelaeobdella cavatuses*が知られている。どちらもヒル類の中では珍しく、真洞窟性ヒル

類で、体色は黄土色一色、身体前端に位置する5対の眼が目立つ。吸血源は、洞窟を寝床とするコウモリ類で、主にキクガシラコウモリ類を吸血することが報告されている。ドウケツヤマビル類の吸血様式は他のヤマビル類とは異なり、コウモリに完全に乗り移って吸血するのではなく、尾吸盤は洞窟壁面に貼り付けた状態で、身体を伸ばし、寝ているコウモリの前肢（翼）や後肢などから吸血する。顎は3つ、ブリョウドウケツヤマビルでは、14対の胃側盲嚢を有すると報告されている。1体節は5体環からなるが、ヤマビル属と最近縁ではなく、後述するヨツワヤマビル属（*Tritetrabdella*）と最近縁であることが明らかになっている。

主な獲物は両生類

和名	：タイワンヨツワヤマビル
学名	：*Tritetrabdella taiwana*
分布域	：台湾、中国南部
体長	：〜40mm
吸血源	：両生類, 哺乳類

　ヨツワヤマビル属（*Tritetrabdella*）は台湾からインドシナ、そしてマレー半島からボルネオ島まで生息しているヤマビル類で、4種が記載されている。背面は茶色で、不規則なバンドが走り、体サイズはヤマビル属ヒル類より若干小さい。ヨツワヤマビル属の主要な吸血源は両生類で、カエル類、サンショウウオ類、イモリ類に広く吸血すると共に、稀に人を含む哺乳類も吸血源とする。ヨツワヤマビル属ヒル類は、ツクバビルで紹介した、待ち伏せ型の吸血行動も行い、渓流性カエル類の繁殖期においては、岩などの裏に張り付き、

吸血源への接触機会を伺う様子が観察される。ヤマビル属ヒル類に比べて尾吸盤の特殊化の程度は小さいが、3つ顎を有し、吸血源の皮膚を逆Y字型に切り裂いて吸血する。本属ヒル類最大の特徴は、身体中央部の1体節辺りの体環数が減少していることで、1体節が4体環からなる。両生類を主要な吸血源とした待ち伏せ型の吸血様式は、ヒル類において体環数の減少をもたらす要因の1つなのかもしれない。日本からの正式な記録はないが、2021年に出版された、奄美大島産イボイモリに吸血しているヤマビル類はヨツワヤマビル属ヒル類である可能性が非常に高い。ドウケツヤマビル属ならびにヨツワヤマビル属というヤマビル科ヒル類の中で最近縁な2群が、それぞれに吸血源の特殊化（翼手類と両生類）と形態形質の進化を遂げており、ヤマビル類の進化史を考える上でも重要なグループと言えよう。

正中の顎を持たない "2顎種"

和名　：パルミラフタアゴヤマビル
学名　：*Chtonobdella palmyrae*
分布域：パルミラ環礁，日本列島（小笠原諸島・琉球列島）
体長　：〜30mm
吸血源：鳥類（ミズナギドリ類）

　ヤマビル類の中で正中に位置する顎を失い、2顎しかもたない一群がフタアゴヤマビル属（*Chtonobdella*）である。フタアゴヤマビル属は、3つ顎のヤマビル属、ドウケツヤマビル属とヨツワヤマビル属に比べて非常に広い分布域を示し、太平洋（東端はファン・フェルナンデス諸島）からインド洋（西端はマダガスカル）の亜熱帯から熱帯域に生息する。一度も陸地に接続したことがない島を海洋島と言うが、フタアゴヤマビル類は様々な海洋島にも生息している。フタアゴヤマビル類の広い分布域と分布様式は3つ顎のヤマビル科ヒル類との大きな違いである。

　古くからフタアゴヤマビル類は渡りをする鳥類を介して広い分布域を形成したのだと考えられていたが、実際の観察事例、iDNAの解析結果共に長距離の渡りを行う鳥類を宿主とする証拠は乏しかった。しかし、2020年に発表された論文において、本種パルミラフタアゴヤマビルが、海鳥であるミズナギドリ類、具体的には、オーストンウミツバメ*Oceanodroma tristrami*とシロハラミズナギドリ*Pterodroma hypoleuca*の眼窩や咽頭内に寄生することが明らかになった。更に同研究成果において、パルミラフタアゴヤマビルは、小笠原諸島から東京・千葉、あるいは小笠原諸島から沖縄島という、最長約1000kmの距離を吸血源に付着した状態で移動している可能性が示されたのである。パルミラフタアゴヤマビルは元々、ハワイ諸島の南約1600kmに位置するパルミラ環礁のみに生息していると考えられていたが、日本列島にも生息することが明らかになった訳だが、約6000km離れた両地域を結びつけ、パルミラフタアゴヤマビルの分布域形成に寄与した吸血源が何なのかは未解明である。オーストンウミツバメもシロハラミズナギドリも、パルミラ環礁において観察されたことはないため、両地域を結びつけるパルミラフタアゴヤマビルの未知の生息地、そして未知の吸血源となるウミツバメ類鳥類が存在すると考えられている。

　なお、1930年には北硫黄島よりイオウジマヤマビル*Haemadipsa zeylanica ivosimae*が報告されており、当該種は海鳥の眼窩に寄生すると報告がなされいる。色彩や吸血様式はパルミラフタアゴヤマビルそのものであり、イオウジマヤマビルはパルミラフタアゴヤマビルと同種である可能性が高い。しかしながら、1930年の論文においてイオウジマヤマビルは3つ顎を有すると記載されているため、イオウジマヤマビルの正体は未だ宙に浮いた状態である。

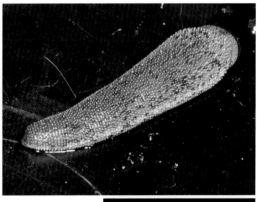

1. パルミラフタアゴヤマビル*Chtonobdella palmyrae*。海鳥を吸血源とし、一緒に海を渡る。（写真提供：鈴木創（小笠原自然文化研究所））。
2. 背面に黒い顆悶を持つ、特徴的な外見のサキシマヤマビル。3. カエルを吸血するタイワンヨツワヤマビル。

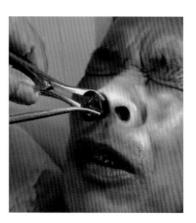

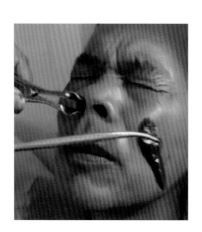

Hirudiniformes: Praobdellidae

鼻腔に寄生する特徴的な生態
チスイビル形亜目 ネンマクビル科

▶チスイビル形亜目 ネンマクビル科 ハナビル
寄生後380倍の体重増加の例も

和名	：ハナビル
学名	：*Dinobdella ferox*
分布域	：東アジア～南アジア
体長	：～80mm
吸血源	：哺乳類，鳥類

　脊椎動物の粘膜系、すなわち眼窩、鼻孔や口腔はヒル類にとって格好の吸血場所である。脊椎動物の粘膜系に特化したチスイビル形ヒル類の一群がネンマクビル科であり、ハナビルはその代表種である。身体全体が一様な茶色～黒色を呈し、吸血し成長した個体の最大サイズは20cmにも達する。性成熟個体の体サイズが非常に大きくなる一方、3つある顎はどれも未発達で、チスイビルやニホンヤマビルが有するような発達した歯ももたず、粘膜系からの吸血に特化した種であると言える。

　粘膜系への寄生という生態的特性にとてもインパク

01

02

03

04

上記の連続写真はいずれも寄生されたハナビルを摘出する様子。東アジア、東南アジアではハナビルによる人畜寄生事例が度々報告されている。ハナビルは大型化するので寄生されればいずれ必ず気付く（写真提供：アフロ）。

トがある一方、ネンマクビル科ヒル類は生態そのものが謎に包まれている種が多く、ハナビルもその例に漏れない。しかし2010年代に、研究者（筆者の盟友であるYi-Te Lai博士）が自身の鼻腔にハナビルの幼体を導入しての寄生実験を行い、その実験結果と症例を仔細に報告した論文が2019年に発表された。寄生実験は3回行われ、2回目の実験でハナビルは鼻腔内に75日間留まり、研究者が鼻を水に近づけるとヒル自ら鼻腔から脱落したという。更に脱落後の個体の体重は寄生前の約380倍に増加し、生殖孔も十分に発達していたということで、吸血源の粘膜系に寄生してから2ヶ月少しで十分に成長すると考えられる。なお、脱落した個体にその後餌資源と考えられるものを幾つか与えたものの、何も摂食せず、10ヶ月間生存したということである。他2個体についても同様、宿主から取り外した

後何も食べることはなかったということで、最初の吸血源から脱落した後の生活史は依然として不明である。加えて、2019年の研究において自然に脱落した個体、あるいはこれまでに得られている自由生活性の大型個体は、生殖器官そのものの発達が不十分であることが多く、詳細な生活環や繁殖様式を解明するためには更なる研究が必要である。

宿主の顔が水に近づくと、ハナビルが鼻孔から顔を出してくる事象は以前から知られており、ハナビル類の摘出方法としても用いられている。ハナビルは交配行動を淡水環境下で行うと考えられており、十分に吸血した個体が繁殖のために自ら宿主から脱出する行動であると考えられている。

成熟個体はサワガニの血リンパ液を摂食する。背甲に張り付くことでサワガニからの攻撃を回避している。

▶チスイビル形亜目　ネンマクビル科　シナノビル

成長とともに宿主が変わる複雑な生活史

和名	：シナノビル
学名	：*Myxobdella sinanensis*
分布域	：日本
体長	：〜60mm
吸血源	：哺乳類，鳥類，甲殻類

　シナノビルは日本列島に生息するネンマクビル科ヒル類であり、山地環境、特に渓流に生息している。成体は比較的大型化し、50mmを超える。色彩は灰色がかったベージュ色で背面には不連続な茶色〜黒色斑紋が見られる。幼体は半透明で、反面の不連続模様は規則的に並ぶ。また孵化し立ての個体は5mmなく、非常に小型だが、吸血源めがけて目を見張る速度でばく進してくる。シナノビルは1925年に記載された後、1934

年にはオオヨシゴイ*Ixobrychus eurhythmus*の咽頭に寄生したいたことが報告されており、ハナビルと同様脊椎動物の粘膜系に特化した種だと考えられてきた。

　しかしながら、2017年に発表された研究によって、本種がサワガニ*Geothelphusa dehaani*を吸血することが明らかになった。サワガニを吸血する際、シナノビルはサワガニの背甲にぴったりと張り付き、背甲と腹甲の間に頭部を突っ込んで血リンパを吸血する。被吸血後のサワガニは死に至ることもある。更に、2022年には、ネンマクビル科ヒル類のヒト眼窩寄生事例が報告された。この摘出された標本の遺伝子を検討した結果、サワガニを捕食する種と同種であることが確認され、シナノビルが、脊椎動物の粘膜系に寄生す

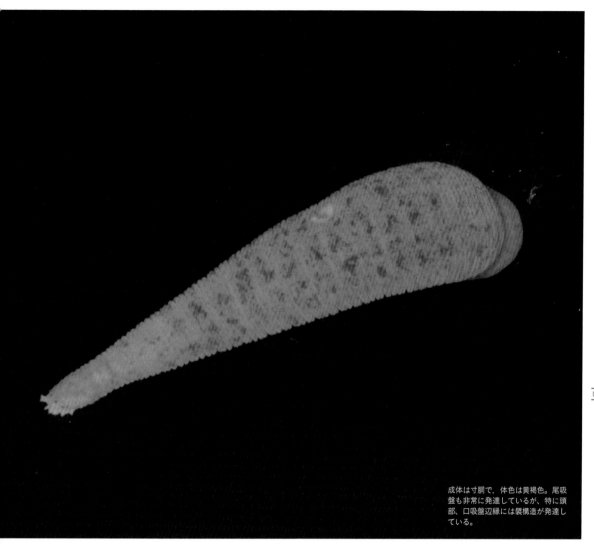

成体は寸胴で，体色は黄褐色。尾吸盤も非常に発達しているが、特に頭部、口吸盤辺縁には襞構造が発達している。

ると共に、サワガニを捕食することが確定したのである。

　これら知見を総合することで、シナノビルの複雑な生活史が見えてくる。先ず渓流環境で孵化した幼体は、水を飲みに来た鳥類や哺乳類の鼻腔や口腔、眼窩に侵入し、寄生する。その後十分に吸血し成長した個体は、ハナビルと同様タイミングを見計らって宿主から脱落すると考えられる。渓流環境に戻ってきた個体は、サワガニを捕食し、その血リンパを吸血する。その後、性成熟し、他個体と交配、産卵と続くと考えられる。ただし、宿主からの自発的な脱出の段階と、交配、産卵についての知見はなく、今後の研究が待たれる。シナノビルは、ハナビルと異なり、十分に発達した顎と歯を有していることが、2017年の研究で明らかになっており、脊椎動物の粘膜系への吸血だけでは生活環を完了できないと推定される。

　なお、その後、インドやイエメンのソコトラ島より、ネンマクビル科ヒル類のサワガニ類吸血事例が相次いで報告されている。ネンマクビル科ヒル類は、脊椎動物の粘膜系に特化した系統だけでなく、甲殻類吸血性の系統も存在することが明らかになった訳だが、これら研究成果は2017年以降に発表された比較的新しい知見ばかりである。ハナビルを含め、ネンマクビル科ヒル類の生活史の全容解明はヒル学が今後取り組むべき重要なテーマの1つであろう。

GIANT SALAMANDERS, FRESHWATER TURTLES and WILD BIRD LEECHESIS

飼育動物に寄生したヒルの症例

オオサンショウウオ、淡水カメ類および野鳥の蛭症

野鳥に寄生するミズドリビル
Theromyzon tessulatum（写真提供：アフロ）。

野生動物医療施設からの報告事例

　北海道の片田舎に所在し、蠕虫症に特化する酪農学園大学野生動物医学センター（以下、センター）ではあるが、日本各地の蛭症事例を扱うことも少なくない。普通、蠕虫症というと内部寄生性の吸虫や線虫などによる疾患を指すが、たとえば、英国CABIの二次資料Helminrhological Abstractには蛭類の情報も収載される。したがって、蠕虫症の一つとして蛭症を包含しても不思議ではないだろう。ここでは、国内の動物園水族館あるいはエキゾチックペット専門動物病院から依頼のあった一部を紹介する。

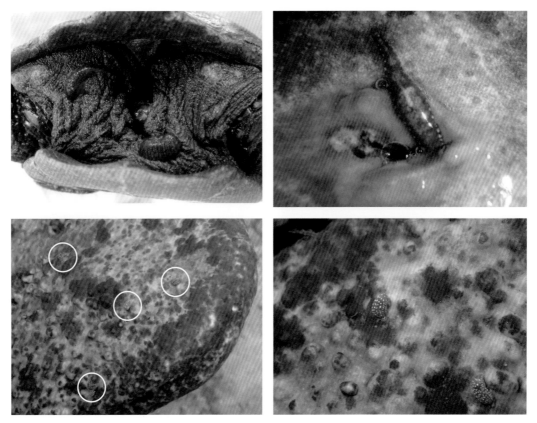

1. 飼育されていたクサガメ Mauremys reevesii に寄生していたヌマエラビル Ozobranchus jantseanus。2. 安佐動物園（広島県）で飼育されているオオサンショウウオ Andrias japonicus に寄生したオオアタマビル Hemiclepsis marginata。寄生による病変箇所も確認できる（写真提供：田口勇輝（安佐動物園））。3. 複数個体がオオサンショウウオの頭部に寄生している様子がわかる（写真提供：田口勇輝（安佐動物園））。4. "3" の写真をさらに拡大したもの。血を吸って膨らんでいる（写真提供：田口勇輝（安佐動物園））。

　まず、広島市安佐動物公園専用の野外にある繁殖水槽では多数のオオサンショウウオ Andrias japonicus が飼育されている。それらは同県内の太田川水系から導入された野生個体であるので、検疫が念入りに実施される。その過程で、時折、アタマビル Hemiclepsis marginata が見つかる。この付着部位から細菌・真菌などへの暴露に加え、トリパノソーマ属原虫の伝播も指摘されている。幸い、この動物園に収容された個体の血液検査では、これまで原虫陰性ではあったが……。

　次いで、飼育カメ類である。2016年1月、本州の某小学校で飼育されていた大量の淡水カメ類の冷凍死体がセンターに送付された。件の小学校が、こういったカメ類にサルモネラ菌が保有される情報を重視、もはや飼育できないと判断したのだろう。懸命に飼育して

いた子供たちにどのような説明をしたのか大変気になるところだったが、センターにとって貴重な材料であるのは事実だ。具に調べたところ、クサガメ Mauremys reevesii 3個体、クサガメとニホンイシガメ Mauremys japonica との交雑交雑種1個体の体表と口腔からヌマエラビル Ozobranchus jantseanus が多数得られた。この蛭類は淡水産カメ類に特異的に寄生するが（前述）、人への寄生は知られない。しかし、学校側としては児童・生徒がこのような気持ちの悪い生き物を目にしたら不安を抱くのではと漏らし、飼育停止に対する正当性の追い風にしたかに見えた。しかし、この蛭類の信じがたい耐凍性は、むしろ、子供達に知的好奇心を呼び起こすはずだ。実際、解凍されたカメ類死体の上で蘇った蛭類に、検査をしていたセンター

1. コスズガモ*Aythya affinis*に寄生したヒル類*Theromyzon rude*。吸血して身体が膨らんでいる様子がわかる（写真提供：アフロ）。2. この個体はコスズガモの結膜に寄生している。写真のコスズガモには鼻孔にも別の個体が寄生している（写真提供：アフロ）。

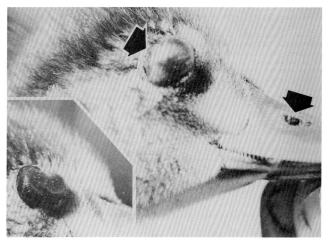

の学生たちはその逞しい生命力に驚愕しつつ感動していたのだから。

　センターは傷病野鳥の動物病院でもあり、これまでにシロハラミズナギドリ*Pterodroma hypoleuca*、オオハクチョウ*Cygnus cygnus*、マガン*Anser albifrons*、ウミネコ*Larus crassirostris*、オオタカ*Accipiter gentilis*、リュウキュウオオコノハズク*Otus lempiji pryeri*の各1個体で蛭類が得られ、いずれも*Theromyzon*属の種であると考えられた。この属はおもに水鳥類の鼻腔や眼球表面に寄生し、呼吸困難や視覚障害を惹起することが世界中から報告されている。センターでも、シロハラミズナギドリ、オオハクチョウおよびウミネコでは眼球表面に寄生し、後の2種では眼結膜または瞬膜からの出血を伴っていた。また、オオタカでは、死後の剖検で気管内から蛭類が多数検出され、リュウキュウオオコノハズクでも、鼻腔など気道に多数が寄生していたようで呼吸困難をていした。いずれも厳しい状況ではあったが、シロハラミズナギドリ、ウミネコおよびリュウキュウオオコノハズクは、蛭類除去後、適切な加療を受け、無事放鳥された。

　ところで、おもに淡水域に生息するミズドリビル属*Theromyzon*が海鳥類やフクロウ類に寄生する点に違和感があるかもしれない。シロハラミズナギドリは外洋性の海鳥であるが、時折、内陸で保護されることもある。ウミネコは非繁殖期には水田など内陸の淡水域にも飛来し、水面上でも採餌を行う。オオコノハズクも水浴びをする。よって、そういった際に寄生を受けるのは不思議ではない。

血を吸う脊椎動物

BLOOD-SUCKING

3

ANIMALS

BLOOD-SUCKING
VERTEBRATE

血を吸う脊椎動物

チスイコウモリは古来、実際の生態よりいく数倍も過剰に
恐れられてきた（写真提供：Mary Evans Picture Library）。

"吸われる"ばかりではない
"吸う"脊椎動物も──

　脊椎動物というと、比較的メジャーな名称なので、皆さんは何となくどのような動物群なのかは容易にイメージできるのでははないか。なにしろ、その対極に無脊椎動物の、この本でも既に登場したダニ・昆虫やヒルなど有象無象がいるのだ。こういった下等な奴らが高等な脊椎動物を襲い、貴重な血液を奪う。何とあさましい。皆さんはそのような生物感で捉えているのだろう。しかし、高等なはずの脊椎動物でも、同じ脊椎動物から血液を餌資源としている種が存在する。すなわち、被害者ばかりではなく、加害者でもあるということだ。このパートではその代表的な3つのグループを紹介する。おそらく、本書を購入するような皆さんのことだ。一つは哺乳類のコウモリであることは、既にご存知のはずだ。しかし、残り二つが鳥と魚のような生き物であることは、案外、知られてはいない。

　この部ではその代表的な種を扱う。が、その前に、そもそも、脊椎動物とはどのような動物なのだろう。兄弟に脊椎発生途中にだけ生ずるような器官のみを有すナメクジウオ（頭索動物亜門）やホヤなど（尾索動物亜門）がいて、脊椎動物（脊椎動物亜門）はその末っ子に相当する。　この進化過程で、重要なカギを握ったのが顎であったのだが、初期の脊椎動物にはこれが無かった。そのために、このような祖先的な動物は無顎類とされ、あるいは口腔が円状に開放されているため、円口類とも呼称される。そう、このような形態では、被害者の体表に吸い付いて、体液を奪取する機能「吸血」しなかったであろう。しかし、あまりにも特殊（進化の袋小路）であったのか、多くが絶滅し、今日ではごく限られた種しか遺残していない。ちなみに、前述した「魚のような生き物」とはこの無顎類を指す。外観は口部の形態以外、魚類そのものであるからだ。しかし、系統的には、まったく異なる（後述）。

　さて、その後の進化で頭部に下顎が生じ、脊椎動物は多様な生物を餌資源とすることを可能にした。もちろん、これは動物の系統的な多様性に反映し、コノドントなど絶滅した広範な動物群と大成功を遂げる顎口類が派生した。この中に、まず、（真っ当な）魚類が生じ、次いで、両生類が水中から陸上に居を移し、爬虫類から鳥類、あるいは哺乳類を分化したという流れは、皆さんご存知のはず。なのに、色々なものを食べる機会を捨て、鳥類と哺乳類のごく一部の種に血液を餌資源にする輩が生じた。もっとも、「吸血」というよりは、舐めとるとした方が正確ではあるが……。

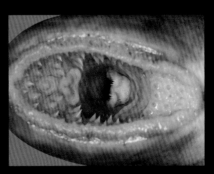

1
2
3
4

1. ヤツメウナギなどが属する無顎類の祖先とされる *Birkenia elegans* の化石。現在生息している動物でこのグループに属するのはヤツメウナギ、ヌタウナギのみである（写真提供：アフロ）。2. ナスカカツオドリ *Sula granti* を吸血するハシボソガラパゴスフィンチ *Geospiza difficilis*（写真提供：アフロ）。3. 遊泳するタイセイヨウサケ *Salmo salar* に寄生しているウミヤツメ *Petromyzon marinus*（写真提供：アフロ）。4. ウミヤツメの口腔のアップ。彼らは十分に食事を済ませるか、宿主が死ぬまで寄生しつづける（写真提供：アフロ）。

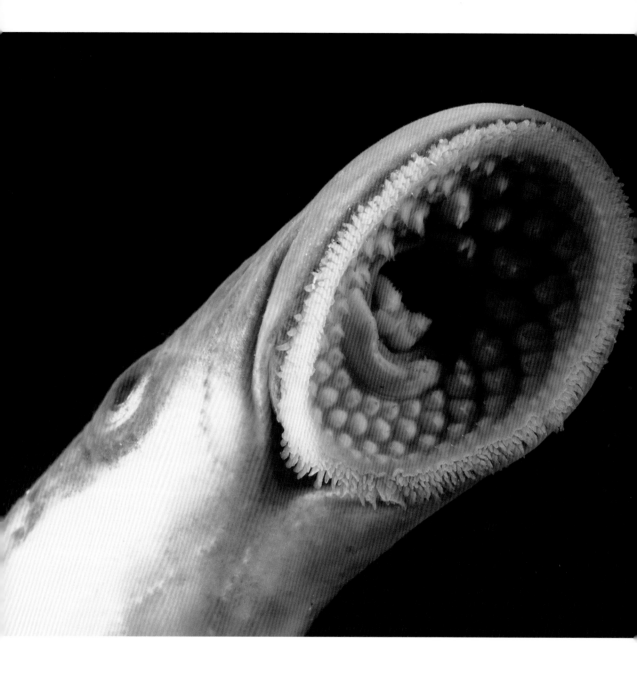

LAMPREY

皮膚をこじ開けて血を吸う
ヤツメウナギ

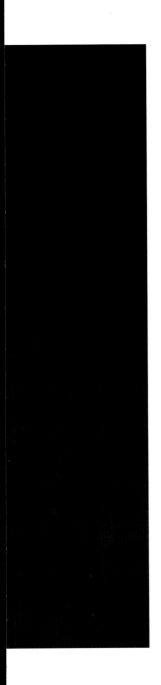

| 1 | 2 |
| | 3 |

1. ウミヤツメの未成魚（写真提供：Alamy）。2. 眼の脇に7つ、円形の鰓孔が並ぶ（写真提供：Alamy）。3. 北半球では比較的目にする機会の多い魚類である。写真はスペイン・ポンテベドラで捕獲された個体（写真提供：Alamy）。

"八つめ"は鰓孔も含む

　さて、脊椎動物が登場したばかりの無顎類あるいは円口類と呼ばれる動物(いわゆる「生きた化石」)には、今、ヤツメウナギ綱とヌタウナギ綱という分類群が残っているが、両者は単に外面が類似するだけで、系統は別ともされ話は込み入っている。食性も異なるので(後者は腐肉を好む)、ここでは吸血に関わるヤツメウナギ類だけに集中しよう。直系の子孫種数は寂しいものの、世界各地の比較的寒い場所を中心とした淡水・海水両域に生息する。たとえば、日本ではおもに東北・北海道で分布する。形は既に何度も述べた顎を持たないこ

とのほか、魚類にあるような対となった鰭も無い。鰓はバラバラ状態で咽頭に繋がり、口から取り入れた水を体側の鰓孔から出して呼吸をする。その7つの鰓孔も眼と見立て「八つ目」と呼称された。諄いが、顎が無いので、咀嚼をするための真の歯も生じないが、その代わり歯状突起というギザギザ構造を有している。これを使い(顎を持った真の)魚類の体表に取り付き、皮膚をこじ開け、血液などの体液を摂取するのだ。まさにダニ類のように……。

フィに寄生するヨ・ロッパカワヤツメ Lampetra fluviatilis（写真提供：アフロ）

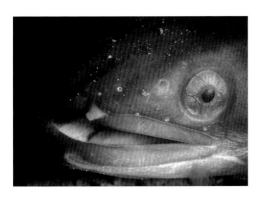

```
  ┌ 1
  │ ─────
  │ 2
3 │
  │
```

1.2. スナヤツメ *Lampetra planeri* の産卵の様子（写真提供：Alamy）。
3. ヨーロッパウナギ*Anguilla anguilla*。頭部の形状はヤツメウナギと
大きく異なる（写真提供：Alamy）。

　以上のように、ヤツメウナギ類は真の魚類であるウナギ類（ウツボやハモなどとともに硬骨魚類のウナギ目というグループ内に配される一群）からまったく系統と生態を有す。しかし、外観が似ているので、ついうっかり「…ウナギ」とされてしまった。他人の空似という奴だ。ウナギ類からしたら、さぞや、迷惑をしていることだろう。鰻重の蓋を開ける度に「勘弁してよ。寄生虫みたいな奴らと一緒にしないでくれ（泣）」と聞こえてきそうだ。ちなみに、ウナギ類の成魚は完成度の高い？顎を持ち、小型魚類やカエル類などを捕食する。

　日本ではカワヤツメ *Lethenteron japonicum* とスナヤツメ *Lethenteron reissneri* が有名で、食材としても活用される一方、特に、海に生息するカワヤツメは漁業の主要魚種（サケ類やカレイ類など）に害をなす場合もある。もっとも、このようなシブトさが無ければ、今日まで命脈を繋ぐことは出来なかったわけだ。さて、そのカワヤツメだが、産卵のために川に遡上する点で（遡河回遊性）、一生を川ですごすスナヤツメ（純粋な淡水性）と生活史が異なる。しかし、いずれの幼体も汚染された水環境では生育が出来ない。気の遠くなるような進化の歴史には、人類の環境汚染というイベントに適応する術は用意されていなかった。鰻と一緒になって「気持ち悪い寄生虫め、滅びろ！」とは言わず、私たちは大切に見守っていこう。

VAMPIRE BAT

邪悪なイメージを決定した "0.2%"

チスイコウモリ

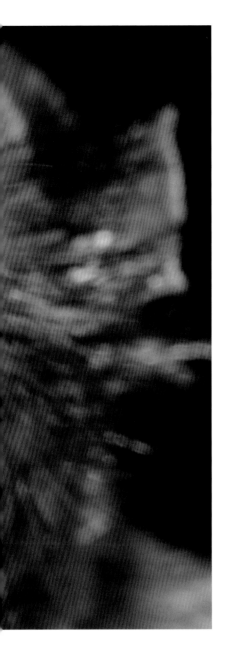

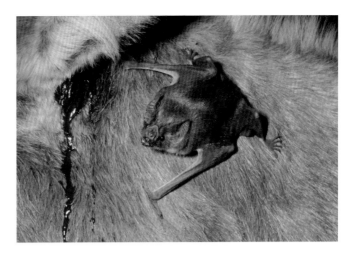

1. ナミチスイコウモリの頭部。コウモリ類の中で吸血性のコウモリは多くないが、この種は就寝中のヒトを吸血することもある（写真提供：Alamy）。2. ロバの血をなめるチスイコウモリ。宿主となる動物は家畜類が多い（写真提供：アフロ）。3. 彼らは口に含んだ血を同種に分け与える"社会性動物"としても知られる（写真提供：アフロ）。

人が吸われるケースはごく稀だが

　コウモリといえば「吸血コウモリ」という連想は未だに現代人にはびこっているであろう。吸血鬼、ヴァンパイア、ドラキュラという不気味で邪悪なイメージをあてがわせたら右に出る動物はいない。あまりに怖すぎて、この世の中に実在する動物とは思っていない少年少女もいるくらいである。しかし、チスイ（血吸）コウモリはれっきとした野生動物なのである。

　チスイコウモリ類（ヴァンパイア バット,Vampire bat）は中南米に広く3種が生息している。コウモリの仲間は世界に1400種以上が確認されている哺乳類の中でも大所帯である。そのうちの3種というと、いかにチスイコウモリが稀有な存在であるかわかる。1400のうちの3、すなわちたった0.2%ごときのことでコウモリという動物をダークで不気味なシンボリック的存在に仕立て上げているのだから人間の持つイメージというものがいかに狭くて事実と異なるか思い知らされる。

　3種のうち、最も有名で悪名高いのがナミチスイコウモリ *Desmodus rotundus*。おもに家畜（ブタ、ヤギ、ウマ、ウシなど）を吸血するが、まれに就寝中の人間も襲う。

つまり本種がコウモリ＝吸血鬼のルーツなのである。他の２種はシロチスイコウモリ*Diaemus youngi*とケアシチスイコウモリ*Diphylla ecaudata*で、おもに鳥類から吸血する。なお、チスイコウモリたちに対して吸血という表現を使ってはいるが正確ではない。彼らは別に相手の体にストローをさしてチューチューっと血を吸うわけではなく（当然だが）、実際は鋭い歯で皮膚に小さな傷をつけ、そこからにじみ出てきた血を舐め取っているのだ。

チスイコウモリは多くの誤解にまみれているがゆえに、ちょっと調べてみると実に面白いトピックが満載である。

まず驚愕なのは、血を餌にしているわりには（だからこそ？）血縁関係にはうとい。一般的な生物というのは自分の子孫を残すために自分の血縁にない個体には冷酷なものである。しかしナミチスイコウモリは腹をすかせた血縁関係にない個体にも血を吐き出して分け与えるという。そんな他人に情けをかける哺乳類は人間以外には極めて稀である。実はこの行動は、単なる慈悲なのではなく、血を分けてくれた相手には自分もその相手に血を分けるようになる「持ちつ持たれつ」という自分へのメリットが見込めるのだ。

彼らの鼻の周辺にはIR（赤外線）センサーがそなわっている。これはマムシやハブが持つピット器官に似ており、温度を感知して皮膚の上からでも的確に血管を見つけ出せるのである。こんな離れ業はヘビ以外の他の動物では聞いたことがない。

なんと彼らの唾液は麻酔であり抗血栓薬だという。だから狙われた動物は、皮膚に傷がつけられても気づかない。そして傷からにじみ出た血液はチスイコウモリの唾液の効果で固まりにくくなる。この唾液に含まれる酵素をもとに作られた血栓溶解剤の名前が「ドラキュリン」というのは本当の話で、チスイコウモリのイメージはどこまで行っても盤石というオチがついたのである。

1
2
3

1. ケアシチスイコウモリ*Diphylla ecaudata*。野鳥の血を吸う種として知られる（写真提供：Alamy）。2. シロチスイコウモリ*Diaemus youngi*のコロニー。コロンビア・アンティオキアの洞穴（写真提供：Alamy）。

THE IRISH "VAMPIRE."

血を吸う脊椎動物

3

CHAPTER

BLOOD-SUCKING ANNELIDS

1885年、アイルランドで描かれた吸血コウモリのイラスト。
彼らは様々な映像、文芸作品に恐怖の対象として描かれて
きた（写真提供：アフロ）。

飛翔するケアシチスイコウモリ。野鳥のほか
に家禽への被害、さらに近年ではヒトも吸血
しているという報告がある（写真提供：
Alamy）。

コウモリと感染症

ウイルス保有の実態は──

　ここまでお読みの皆さんは、「少々の血液を吸われるだけなら我慢もしよう。だが、病原体という"置き土産"は勘弁してくれ！」という心情ではないか。この理由で蚊・ダニなどの吸血動物が駆除される。しかし、コウモリ類では吸血性の種はごく僅かで、その地理的分布も非常に限られているので、吸血性ゆえにコウモリを危険な感染症の伝播者と見なすのは誤りである。だが、食性（多くが食虫性か果実食性だが）とは関係なく、全コウモリ類というカテゴリーで眺めると、多様な病原体の自然宿主あるいは二次的な宿主であるのは確かである。ただし、だからと言って安易な駆除はその解決につながらない。まず、病原体の保有状況を見てみよう。たとえば、RNAウイルスだけに限ってみても、パラミクソウイルス科のヘンドラウイルスとニパウイルス、フィロウイルス科のエボラウイルスとマールブルクウイルス、ブニアウイルス科のリフトバレー熱ウイルスと重症熱性血小板減少症候群（SFTS）ウイルス、フラビウイルス科の日本脳炎ウイルスと西ナイル熱ウイルス、そしてラブドウイルス科の狂犬病ウイルスなどが報告されている。以上のうち、パラミクソウイルス科とフィロウイルス科のウイルスはオオコウモリ類から検出され、特に、マールブルクウイルスの自然宿主がエジプトルーセットオオコウモリ *Rousettus aegyptiacus* であると特定された途端、アフリカのある坑道内でこのコウモリが完全に駆除された。しかし、そこにはま

白鼻症候群に感染したオオホオヒゲコウモリ *Myotis myotis*。この疾病はコウモリ類に深刻な影響を与える感染症の一つだ（写真提供：Alamy）。

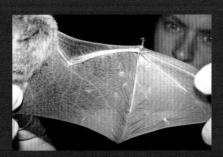

白鼻症候群の症状が出たコウモリの翼(写真提供：Alamy)。

マールブルクウイルスの宿主とされるエジプトルーセットオオコウモリ *Rousettus aegyptiacus* のコロニー。イスラエル、ユダの丘の洞窟(写真提供：Alamy)。

た同じ種のコウモリが侵入、コロニーを再形成した。しかも、そのウイルスの保有率は殺滅させられた個体群よりも高く、かえって感染リスクを高めたのだ。つまり、安易な駆除は何ら解決策にもならないし、時に危険ですらあるということだ。

そして、コロナウイルス科である。この群には新型コロナウイルス感染症（COVID-19）や重症急性呼吸器症候群(SARS)の病原コロナウイルスが含まれ、コウモリ類からはこれらと系統的に極めて近いウイルスが検出されている。そのため、両病原ウイルスの自然宿主はコウモリであったとの見解が支持されつつある。そのため、アフターコロナで懸念されるのは、「もうパンデミックはこりごり。今のうち、コウモリを根絶やしにしよう！」という誤った指向だ。

繰り返すが、これは問題の解決にはつながらないだろう。賢明な解決策の一つが人の健康と自然生態系の健康とが、同じ視点で眺めるワンヘルスという考え方で冷静に行動することだ。そして、実際、人が動物の共通感染症zonosis）を眺めると別の切り口が見えてくる。つまり、感染症の被害者が動物、加害者が人という事例にも遭遇するのだ。そして、これでコウモリ類は既に苦境にある。旧大陸起源とされる真菌 *Pseudogymnoascus destructans* が、つい最近、おそらく洞窟を調査する研究者や観光客などにより旧大陸から持ち込まれ、北米産コウモリ類に感染、致死的な白鼻症候群を発症し、絶滅に近いほど個体数を減じている。新興感染症は動物でも起きているという事実は記憶に留めておきたい。

BAT

ゾウアザラシの血を舐めるサヤハ
シチドリ*Chionis albus*。イギリス
領フォークランド諸島（写真提供：
アフロ）。

DUMMY : VAMPIRE BAT

専食はせずとも意外にいる、血を好む鳥

吸血鳥類

意外な身近にもいる
血を吸う鳥の仲間

　吸血する鳥類の記録は、探してみると意外に多く、これまでに10種余りある。しかも非常に身近な鳥でも学術報告されているのは驚きだ。知る人ぞ知る森林総合研究所の人気の鳥学者「バード川上」こと川上和人さん達が2016年に、シカの血を吸うガラスの観察報告をStrixという科学誌に写真付きで詳しくおこなった。その論文のタイトルは「ハシブトガラスによるニホンジカに対する吸血行動の初記録」である。岩手県の盛岡市動物公園で飼育されているニホンジカが2009年と2014年の2度にわたってハシブトガラスから吸血されていた。いずれも1羽のハシブトガラスがシカの背中に乗って、背中や脇腹などをつつき、傷口から血をなめる姿が繰り返し観察された。しかしハシブトガラスが吸血鳥と言われてもピンと来ない。ハシブトガラスのイメージは、吸血鳥ではなく、一般の人にとっては都市にいてゴミ捨て場のごみを漁っている鳥で、良く知る人では、山にもいて、動物の死体、植物の果実、昆虫などの小動物、ネズミやリスなどの小型哺乳類、カエルやトカゲなどの両生爬虫類、鳥類の卵やヒナ、時に成鳥、カニなどの甲殻類などを食べる雑食性の鳥というイメージだ。動物の血を吸う記録があるといっても、それを常食としているのではなく、色々な幅広いものを食べる中で、機会があれば血を吸う個体もいる、しかもそれは最近まで学術界でも知られていなかった非常にまれな例と言えそうだ。ただ、ハシブトガラスの吸血行動は畜産業界では以前からそれなりに知られていたらしく、ウシがその被害にあう例が国内各地で報告され、問題になっていた。このようにハシブトガラスの吸血行動は、人に飼われていて逃げられない状況下の大型哺乳類から吸血することがあるという、人為環境下の少し特殊な事例と言えそうだ。国内ではこのハシブトガラスの例しか知られておらず、私たちが吸血鳥になじみがないのもうなずける。

　しかし海外では自然環境下での鳥の吸血行動も知られている。特に報告数が多い地域は南アメリカだ。大陸部だけでなく島嶼部のガラパゴス諸島も含めて数え

上げると、キガシラカラカラ、チマンゴカラカラ、サヤハシチドリ、クロイソカマドドリ、エスパニョーラマネシツグミ、ガラパゴスマネシツグミ、オオサボテンフィンチ、ハシボソガラパゴスフィンチの5属8種にもなる。彼らの多くには共通した特徴がある。それは森林ではなく草原などの開けた場所にいて、大型獣などの「掃除鳥Cleaner birds」と呼ばれる鳥が多いことだ。魚では「掃除魚」と呼ばれるホンソメワケベラが良く知られるが、かれらは大型の魚の体やえらに付いた寄生虫やごみを食べて綺麗にしてあげることで、ウツボなど凶暴な魚からも襲われない。このような「掃除魚」の鳥版が「掃除鳥」である。

　キガシラカラカラとチマンゴカラカラは全長30〜40cmほどの中型のカラカラで、基本的には腐肉食で、獣や魚の屍体を探して食べているが、ウシ、カピバラ、バクなど哺乳類にとまってダニを取ることも知られる掃除鳥でもある。そして哺乳類の掃除をしながら時にその血を失敬する。カラカラ類はほぼ南アメリカに特有のグループなので私たちにはあまりなじみがない。ハヤブサ目ハヤブサ科ハヤブサ亜科カラカラ族に分類されることから分かるとおり、ハヤブサにかなり近縁なグループといえるが、ハヤブサのように高速飛行をおこなって鳥を捕食する「カッコいい猛禽」のイメージとは全く違って、カラカラは腐肉食の「生態系の掃除屋」で、どちらかといえば「どんくさい猛禽」といえる。カラカラ類の代表種ともいえる種カラカラやミナミカラカラは全長が50cmから60cmある比較的大型の猛禽で、彼らは屍肉以外に昆虫もよく食べるが、哺乳類の掃除鳥になるには大きすぎる。小さめのカラカラ類であるキガシラカラカラとチマンゴカラカラが哺乳類の掃除鳥となって、時に吸血する。

　このカラカラ類2種を除いた残り7種の南アメリカの吸血鳥たちは、皆、海岸域の鳥たちだ。特に乾期の水が入手しづらい時期に浜辺などにいる動物の血を吸うことが多く、水分補給の意味合いが強いと。以下にそれぞれの種やグループの特徴について見てみよう。

サヤハシチドリは南アメリカ南部から南極半島にかけて分布し、全長約40cmという大きめのハトほどのサイズで、海岸域にいて、ペンギンやウ等の鳥の集団繁殖地（コロニー）でヒナや卵を捕食したり、ペンギンがヒナに与える魚やオキアミを横取りしたり、アザラシの屍骸や出産後の胎盤を食べたりしている。嘴の上部に鞘があってチドリ目に分類されることからサヤハシチドリと呼ばれるが、チドリ科やシギ科、カモメ科などのチドリ目の他の科との類縁はいずれも近くなく、独自の科であるサヤハシチドリ科に分類される。ハト類は嘴の付け根の鼻部にある蠟膜と呼ばれる付属物が特徴だが、サヤハシチドリの嘴の鞘や嘴基部の皮膚の裸出部がハト類の蠟膜に一見見えることや体型もずんぐりとしてハト類に似ていることから「ナンキョクバト」という異名ももつ。

チマンゴカラカラ *Milvago chimango*。南米大陸南部では比較的よく見られる鳥類の一つ（写真撮影：筆者）。

1｜2　1. 吸血行動を行うマネシツグミの一種、フッドマネシツグミ *Mimus macdonaldi*（写真提供：アフロ）。2. イグアナの皮膚を突くガラパゴスマネシツグミ *Mimus parvulus*（写真提供：アフロ）。

しかし、種子食のハト類とは生態は全く違って、上述の猛禽類の一グループであるカラカラ類に似た食性を示す。やはりチドリ目でありながら、南極での陸上生態系の頂点に位置する捕食者となっているナンキョクオオトウゾクカモメなどのトウゾクカモメ科にも食性は似ている。ただサヤハシチドリの場合は、アザラシの子が飲み損ねたミルクをすすったり、アザラシの傷口の組織を食べたり、傷口から出た血をすすったりすることも知られており、吸血鳥とも言える。

クロイソカマドドリは、スズメ目カマドドリ科の全長20cmほどのムクドリサイズの小鳥で、分布域はやはりサヤハシチドリと似て、南アメリカ南部だが、サヤハシチドリがいないフォークランド諸島にも分布する。カマドドリ科はいくつかいる南アメリカの特産科の鳥の中でも非常に多様化したグループの一つで、様々なタイプの昆虫食に多様化して70属306種が知られる。カマドドリという名前は、いくつかの代表的な種が「かまど」のような巣を土で固めてつくることに由来するが、巣のタイプは種によって大きな多様性があることが知られている。クロイソカマドドリは、「かまど」は作らず、海辺の岩の割れ目や隙間などに草などの巣材を敷いて巣にする。クロイソカマドドリの食べ物は主に海辺の節足動物と海産無脊椎動物で、端脚類、等脚類、双翅目とその幼虫、直翅目などだが、海鳥の繁殖地ではペンギンやうのひびの入った卵やヒナが食べ損ねた魚やオキアミも食べる。また、ミナミゾウアザラシがオス同士でハレムをめぐって争うことで生じる傷口の組織を食べたり、血をすすったりする。さらにオットセイの鼻水などの粘液や血もする。

エスパニョーラマネシツグミとガラパゴスマネシツグミの2種はいずれもガラパゴス諸島のマネシツグミで、全長25cmほどの、やはりムクドリサイズの尾の長い小鳥だ。スズメ目のマネシツグミ科は南北アメリカ大陸に分布する多様化したグループで、10属34種が知られる。そのうちアメリカ合衆国のほぼ全域に生息する代表種であるマネシツグミ *Mimus polyglottos* は鳴き真似が得意で、別の種類の鳥の鳴き声や犬の鳴き声、ピアノの音や車のクラクションまでまねることができる。それがこのグループの和名の由来でもあるが、やはりカマドドリ類が皆かまどを作るわけではないのと同様にマネシツグミ科のほとんどの種は鳴き真似をするわけではない。吸血行動が記録されているガラパゴス諸島のマネシツグミも鳴き真似はしない。またマネシツグミ科の鳥は、森林だけでなく農地や都市公園などの身近な環境でも見られ、果実や昆虫を主に食べるなどツグミに似た生態を持っているが、ツグミ科との類縁関係はなく、ムクドリ科に近縁なグループであることが近年のゲノム研究によって確定した。

ガラパゴス諸島のマネシツグミは、4種に分類されるが、既に述べたとおり、そのうち2種で吸血行動が見られる。ガラパゴス諸島のマネシツグミは、マネシツグミ科の鳥の中でも特に食性の幅が広く、食物資源が限られた小さな島の中で利用できる食べ物は何でも利用するように進化してきた。乾燥した疎林から海岸に生息し、主に地上で昆虫などの節足動物を食べたり地上や樹上でベリー（漿果）などの果実類を食べたりするのは他のマネシツグミ科の鳥たちと同じだが、ガラパゴス諸島のマネシツグミはさらにリクイグアナやウミイグアナからダニを取って食べたり、アザラシやイグアナなど動物の死体をついばんだりする。そしてエスパニョーラ島やサンタフェ島などいくつかの小さな島ではウミイグアナ、ガラパゴスアシカ、ガラパゴスアホウドリ、アオツラカツオドリの傷口から血液をすする姿が記録され、学術論文にも発表されてきた。

エスパニョーラ島の海辺の岩場には、数百匹にもなるウミイグアナが群れで集まる。12月頃にはウミイグアナのダニを食べるエスパニョーラマネシツグミの姿も見られる。ダニをむしり取る時にできた傷口から血をすする姿もまた頻繁にみられ、4匹に1匹の割合でウミイグアナの尾などにそのような傷口ができる。しかしサン・クリストバル島などマネシツグミがダニを食べていないウミイグアナコロニーではそのような傷口は見られない。またガラパゴスノスリがイグアナを捕獲して持ち去った後に残された岩のくぼみに溜まったイグアナの血を数羽のエスパニョーラマネシツグミが飲む様子も観察されている。砂浜ではガラパゴスアシカの雄がハレムをめぐって闘争する。その後には、生々しく傷を負った雄が見られるが、そんなオスの傷口にはやはりエスパニョーラマネシツグミが血を飲みにやってくる。そしてそのような海岸には妊娠したメスのガラパゴスアシカも多く訪れ、仔を出産するが、出産後の胎盤からもマネシツグミは血をすする。イグアナやアシカからの吸血よりももっと頻繁に見られるエスパニョーラマネシツグミの吸血行動は、ガラパゴスアホウドリやアオツラカツオドリなどの海鳥のコロニーにおいてである。ガラパゴスアホウドリでは抱卵している個体の足の傷口から血をすすった記録がある。頻繁に見られるのはアオツラカツオドリのコロニーで、

主に生後25日以上経って大きく成長し、親鳥が抱かなくなった雛鳥の首筋や頭部、腰、翼などから血をすする。1羽だけでヒナを襲うこともあるが、平均して4～5羽の群れでヒナを襲って吸血する。親鳥が戻ってくれば、マネシツグミを追い払うことができるが、親がなかなか戻って来ず、ヒナが次第に衰弱して抵抗できなくなってくると益々多くのマネシツグミが弱ったヒナに集中して集まる。次第に首の骨や肋骨があらわになってきて、襲われ始めてから24時間以内にヒナは死んでしまう。最後には35羽以上ものマネシツグミが集まった例も報告されている。生き血をすすって、犠牲者の命を奪ってしまうという意味で、エスパニョーラマネシツグミは、吸血鳥の中でも世界で最も怖ろしい吸血鳥と言えるだろう。とはいえ、エスパニョーラマネシツグミは全ての個体が吸血するかというとそうではなさそうだ。足環で個体識別をして観察した研究からは、少なくとも38%の個体で吸血行動が見られたことが知られている。吸血行動は、餌が少なくなる乾期によく見られ、少なくとも一部の個体にはその時期、非常に魅力的な食べ物であることが示唆される。通常なわばり内で餌をとっている個体が、なわばりから最大で2kmも離れた海鳥コロニーへ行って、吸血行動をしていたことが報告されている。

エスパニョーラマネシツグミはさらになんと人の血

1. ガラパゴスフインチ *Geospiza fortis*。嘴に血液が付着している（写真提供：Daniel Baldassarre）。21. ガラパゴスフインチの素嚢に血液が溜まっている様子（写真提供：Daniel Baldassarre）。

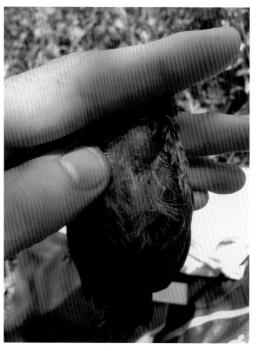

ダーウィン島
ガラパゴスフィンチ
ウルフ島

フェルナンディナ島
サンチアゴ島
サンタクルズ島
サンタフェ島
イザベラ島
サンクリストバル島
ガラパゴスマネシツグミ
フロレアーナ島
エスパニョラ島
エスパニョーラマネシツグミ

0　25km
25mi

をすすった記録もある。1980年代の中ごろに行動観察をしていた研究者が足に怪我をしたままいつものように観察を続けると、エスパニョーラマネシツグミが寄ってきて足に止まり、血をすすったことが2回あったと報告されている。人の血を吸う鳥の唯一の記録と思われるが、これは人を恐れないガラパゴス諸島の鳥ならではの出来事と言えそうだ。

　ガラパゴスマネシツグミは、他の3種のガラパゴス諸島のマネシツグミがそれぞれ1つの島でのみ見られる1島の固有種であるのに対して、多数の島々に分布するが、ほとんどの島では吸血行動は観察されておらず、サンタフェ島でのみ比較的頻繁に観察され、ガラパゴスノスリやサメなどに襲われてケガをしたウミイグアナやリクイグアナの傷口から血をすすっている。ガラパゴス諸島のほとんどの島にはマネシツグミがいるが、その中でも吸血行動が見られる島は限られている。小さめで標高が低く、乾燥している島といえる。そのような島でも吸血行動が見られない島もあるので、島の大きさや乾燥だけから、その島で吸血行動があるかどうかは判断できない。どうも吸血行動には文化的な伝承もあるようで、協同繁殖という婚姻形態もその行動の伝承に一役買っているようだ。多くの鳥の婚姻形態はスズメやツバメのような一夫一妻で、両親で甲斐甲斐しく子育てをする。一夫多妻や一妻多夫は鳥類の1割余りと言われるが、これらの鳥は片親だけで子育てができる。反対に4%弱の鳥が協同繁殖という婚姻形態をもち、繁殖する夫婦だけでなく、ヘルパーと呼ばれる個体も手伝って子育てが行われる。ガラパゴスのマネシツグミは5から6羽程度以内で、この協同繁殖をおこな

う。ヘルパーは前年などに生まれた若い個体で、多くの場合、両親の子育てを手伝う。つまり長い場合は親と数年にわたって一緒に行動するため、その間に吸血行動も含めた親の様々な行動が伝承されやすくなる。一夫一妻の小鳥の多くは巣立ったヒナと行動を共にするのはせいぜい1か月程度になるので、季節的な行動を伝承することはない。

我々の身近で見られるハシブトカラス*Corvus macrorhynchos*も吸血行動を見せることがある（写真提供：アフロ）。

ソーニクロフトキリン*Giraffa cameropardalis thornicrofti*に群がるアカハシウシツツキ*Buphagus erythrorhynchus*。ザンビア（写真提供：Alamy）。

アカハシウシツツキはカバ*Hippopotamus amphibius*の血も吸うことがある。タンザニア、セレンゲティ国立公園（写真提供：Alamy）。

ハシボソガラパゴスフィンチのうちガラパゴス諸島北部のダーウィン島とウルフ島にのみ分布する亜種がナスカカツオドリなど海鳥の血を吸うことが良く知られてきた。この2島は1平方キロ余りの面積しかない小島で、他の主要島から北西に100キロ近くも離れている（ガラパゴス諸島の地図）。近年では、この2島に生息する亜種は、独立種とみなされるようになり、その名もチスイガラパゴスフィンチ（英名Vampire Ground-Finch）と呼ばれている。さえずりと生息環境でも遺伝的にも他の島のハシボソガラパゴスフィンチとは大きく異なることが分かったからである。ハシボソガラパゴスフィンチは海岸では見られず、高地の森林を生息地として好むのに対して、チスイガラパゴスフィンチは海鳥のコロニーがある海岸域を好む。

ガラパゴスフィンチは、南アメリカの固有科であるスズメ目フウキンチョウ科に属し、進化論の提唱者ダーウィンが、進化論の着想を得た生き物たちで知られるガラパゴス諸島の中でも特に有名な生き物。南アメリカ大陸に起源をもつ1種の鳥が祖先となってガラパ

ゴス諸島で18種に種を分化させた、つまり適応放散と呼ばれる現象の典型例として教科書にもよく登場する。樹上性フィンチ類5種、地上性フィンチ類9種、草食型フィンチ1種、ムシクイフィンチ類2種、ココス島のココスフィンチの5グループに大きく分けられるが、ハシボソガラパゴスフィンチは地上性フィンチの中で、その名のとおりくちばしが細長く鋭い。チスイガラパゴスフィンチも同様に細長い嘴をもつが、より長くしっかりとしている。両種の嘴は互いに似ているように見えるが、遺伝的にはチスイガラパゴスフィンチはハシボソガラパゴスフィンチに最も近いのではなく、ハシボソガラパゴスフィンチを含む6種の地上性フィンチ類（ハシボソガラパゴス、オオガラパゴス、ガラパゴス、コガラパゴス、サボテン、オオサボテンフィンチ）の相互の遺伝関係がかなり近いのに対して、チスイガラパゴスフィンチはこれらとは少し遺伝的に離れていることがわかった。

チスイガラパゴスフィンチは季節によって異なる食べ物に依存している。雨季には島に豊富にある種子と

アフリカスイギュウ*Syncerus caffer*の眼を突いて血を吸うキバシウシツツキ*Buphagus africanus*（写真提供：Charles Hesse）

果実および昆虫などの無脊椎動物に頼っているが、乾季には主にナスカカツオドリなどの海鳥に頼るようになる。海鳥が集団で繁殖しているコロニーに来て、海鳥のヒナが食べ損ねた魚を横取りしたり、糞をついばんだり、卵を転がして割って食べたりするが、海鳥の抱卵・抱雛期には親鳥の血も吸う。親鳥が卵や小さなヒナを抱かなければならず、巣から離れられない時期に、つまり吸血フィンチから逃げられない時期に親鳥の翼を突いて、滲み出る血液をすする。もし親鳥がその攻撃に耐えられずに巣を離れてしまうと今度は攻撃を卵に転じる。卵を蹴って転がして、岩にぶつけてヒビを入れ、卵の黄身や白身を群がって食べる。この一連の行動から卵を狙って吸血をおこなうと解釈する人もいるが、やはり血液自身もこのフィンチの重要な栄養源になっているので、卵食を目的として吸血行動を取るとまでは言えない。あくまで吸血行動の結果として、幸運な場合には卵食にまで至ると解釈するのがよいだろう。

　チスイガラパゴスフィンチは自分で血液を分解する消化酵素をもっているわけではない。チスイコウモリと同じように、血液を分解できる特殊な細菌が腸内に共生しているおかげで、血液から栄養を摂取できる。両種の腸内細菌叢は血液のタンパク質を分解できるという機能はよく似ているが、細菌の系統は科のレベルでかなり異なることが知られている。つまり細菌が両種の腸内で収斂進化している。収斂進化とは、異なる系統の生物が、似たような環境に適応することで、似たような姿になる現象で、ユーラシアとアフリカからなる旧大陸の哺乳類に似たような姿の有袋類が、つまりフクロオオカミやフクロネコ、フクロモモンガなどがオーストラリア大陸で進化したことが典型例としてあげられる。チスイガラパゴスフィンチとチスイコウモリはそれぞれ血液食の結果、似たような腸内環境を共生細菌類に提供し、その中で異なる科の細菌が、同じように血液を分解する機能をもつように進化したことは、細菌類にとって腸内が一つの世界であることを物語っていてとても興味深い。

ここまでに紹介してきた鳥たちは、ハヤブサ目ハヤブサ科カラカラ亜科、チドリ目サヤハシチドリ科、スズメ目のカラス科、カマドドリ科、マネシツグミ科、フウキンチョウ科といったようにグループはバラバラで、決してあるグループの鳥全員が吸血鳥という鳥たちではなかった。唯一、グループ全体が吸血鳥というのがウシツツキだ。ウシツツキはアフリカのサバンナ地帯にのみ生息分布するムクドリやマネシツグミに比較的近いグループで、アカハシウシツツキとキバシウシツツキの2種のみで一つの科、スズメ目ウシツツキ科を形成している。アカハシウシツツキはアフリカの東部から南部にかけて分布し、キバシウシツツキはアフリカ西部を中心に分布して東部や南部では断続的に分布しており、両種はアフリカ東部から南部で分布が一部重なる。大きさは共に全長が約20cmでムクドリサイズだが、アカハシウシツツキの方が心持ち小さい。

繁殖はサバンナに点在する高木林の自然樹洞に巣を作り、巣材は草の葉などとともに動物の毛も抜いて使う。他の多くの鳥と同様に一夫一妻だが、時にヘルパーと呼ばれる若い個体が子育て、特にヒナへの給餌を手伝うことが知られている。

ウシツツキ類はその名のとおり牛などの有蹄類に乗って、耳の中などを突いている姿がアフリカのサバンナでよく見られる。特に西アフリカではウシやロバなどの家畜にも乗るが、サイ、キリン、シマウマ、カバ、インパラなどの野生動物に乗っている姿はアフリカを実感させる。動物園のサイやキリンには決してウシツツキは乗っていないので、ウシツツキが乗った動物の写真はアフリカ現地感が出る。ウシツツキはキツツキが木に登るときのように、硬い尾羽を使って体を支えながら大型獣に止まったり、その体の上を移動したりしている。季節によって移動する有蹄類にウシツツキ

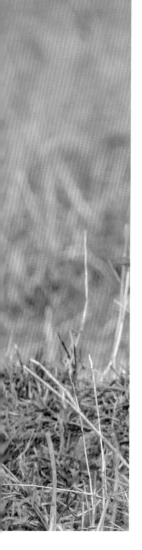

1.体表のダニなどを食べることもある一方で、複数のキバシウシツツキからの吸血は大きなストレスとなることだろう（写真提供：Hans Norelius）。2.有蹄類の上に複数のキバシウシツツキが乗っている姿は、生息地ではよく見られる光景。ガンビア・マラキッサ（写真提供：Hans Norelius）。

も一年中ずっとくっついて生活している。ダニやシラミ、サシバエなどの外部寄生虫を食べたり、剥がれた皮膚を食べたりしているが、傷口から血をすすることも知られている。有蹄類はダニを除去してもらって、ウシツツキは食糧を供給してもらうことで共に利益を得る形で共生していると古くから考えられてきたが、今日ではウシツツキがダニを除去する効果は低く、逆に傷を治りにくくしているとみなす研究者もいる。つまり有蹄類にとってウシツツキは友達ではなく、血をすする吸血鬼である可能性が疑われている。他の有蹄類と違ってアフリカゾウや一部のアンテロープがウシツツキを寄せ付けずに追い払うのはそのためかもしれない。

アカハシウシツツキとキバシウシツツキの食性は非常に似ていて、東アフリカや南アフリカでは同じ個体の有蹄類に両種が乗っていることも時々あるが、キバシウシツツキは少し体が大きいので大きなダニを食べたり、血液への依存度がより大きかったりするようだ。アカハシウシツツキは少しは好かれていて、キバシウシツツキはより嫌われ者なのかもしれない。

ハシブトガラスが飼育中のニホンジカや牛の血をすするという記録を除けば、野生下で見られる鳥による吸血行動は、ほぼ例外なく、サバンナや小島の海岸という環境で見られる。共通する特徴は、乾燥である。島は水が入手しにくい環境で、まずは水分補給のために吸血行動は進化し、腸内細菌が血液を分解できるようになると水分としてだけでなく栄養としても重要になり、さらにはサバンナのようにそれほど水の入手に苦労するとは言い切れない環境でもウシツツキ類のように科レベルで吸血行動にかなり強く依存するグループも進化したと考えられる。

インドネシアの陸軍戦略予備軍 "KOSTRAD" のサバイバルトレーニングで兵士らがヘビの血を飲む。その栄養価よりも、士気を高めるためのものとして、動物の血が飲まれることがある（写真提供：Alamy）

ヒトも血を飲む

血は体に良いのか、悪いのか

白土（1987）は、1980年代中盤、栃木県のある山村で酒席に招かれたことが具に記録されている。そこで彼が饗応されたのが猟で仕留められたシカの血液の腸詰である。その腸詰に名前は無く、村の人々は指示語の「これ、あれ、それ」のソレソレと呼称していたと記録されている。シカ解体時に腹腔に貯まった血液を腸管に詰めたものを茹で、ソーセージ状になったものを薄くスライスして、塩を付けて食す。イタリアやドイツなど欧州にもある豚の血液を用いて作るソーセージとほぼ同じような製法である。40年以上経過した今日、日本ではシカが増え、その有害捕獲された個体の有効利用という形で

ジビエブームが到来したが、血液まで利用しているとはきかない。狩った動物を無駄にしないという姿勢は尊いし、第一、熱を通しているので衛生面での心配は無い。しかし、日本では古来マムシなどのヘビ類やスッポンなど爬虫類の血液を熱処理せず、（生血の状態で）そのまま、あるいはワインなどに混ぜて飲むことが知られる。壮年期の強壮剤として珍重され、蛇料理を提供する店では、いわゆるイカモノ食いの客に提供しているという。だがこれは、爬虫類の皮下や筋肉間の組織内に寄生するマンソン裂頭条虫（*Spirometra erinaceieuropaei*）の幼虫プレロセルコイドが血液の中に混じっていることがあり、寄

生虫病学的に問題視される行為である。この幼虫を経口的に摂取すると、これが体内各所に寄生し（時折、移動する瘤として認知）、様々な障害を惹起するマンソン孤虫症の原因となる。時には、皮膚腫瘍と誤診され、摘出手術をしたらプレロセルコイドであった症例もある（藤田，1994）。まず、強壮の効果は疑わしいし、健康にも良くない。厳に慎むべきである。

HUMAN

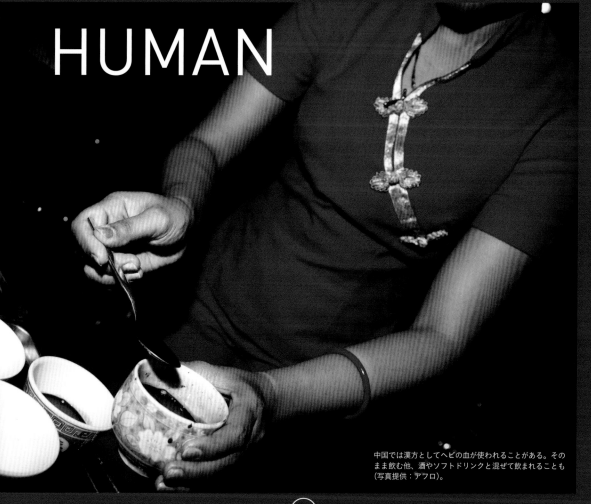

中国では漢方としてヘビの血が使われることがある。そのまま飲む他、酒やソフトドリンクと混ぜて飲まれることも（写真提供：アフロ）。

脊椎動物の血液と吸血動物たち

血はなぜ美味しい

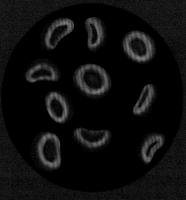

ヒト正常赤血球

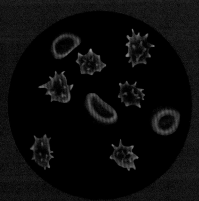

ウニ状赤血球

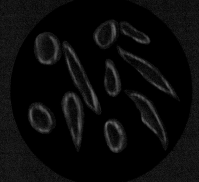

鎌状赤血球

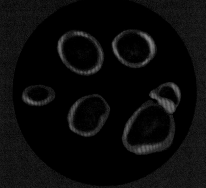

α-サラセミア

ヒトの正常な赤血球形態と異常形態：ATP産生障害等により生じるウニ状赤血球。ヘモグロビン異常症に見られる鎌状赤血球。中央部のくぼみ部分が拡大した血球が目立つα-サラセミア（イラスト：Hong Jing & Sanjoba）。

　ヒトの血液は、細胞成分と液体成分で成り立っている。おおよそ55％が液体成分で、45％が細胞成分である。ここでは正常末梢血について説明する。

　液体成分は、血漿と呼ばれ、91％が水分で、残りはタンパク質（約7％）、アミノ酸やブドウ糖などの栄養素、電解質などである。血漿は毛細血管を介して、体中の細胞に栄養やホルモンを運んだり、老廃物を細胞から回収したりする。また、細胞内の水分量や体温などの調節を行う。

　細胞成分は、血漿に浮遊していて、赤血球、白血球、血小板から構成される。赤血球は、肺で酸素を取り込み、体のすみずみまで酸素を運び、白血球は体内に侵入した細菌やウイルスなどの異物を処理する。血小板は出血した際、血管を塞ぎ血液を固めて出血を止める働きをする。白血球は、さらに単球、リンパ球、好中球、好塩基球、好酸球を含む。どの白血球にも核があるが、ヒトの成熟した赤血球や血小板には核がない。細胞成分のうち約99％を占める赤血球は骨髄で作られ、前赤芽球、好塩基性赤芽球、多染性赤芽球、正染性赤芽球などの段階を経て、流血中に旅立ち核を失い、ヘモグロビン以外のタンパク質の合成をしなくなる。数は少ないが、リボソームとミトコンドリアをもつ網赤血球もある。脊椎動物の中で、赤血球に核がないのはほぼ哺乳類だけである。鳥類、爬虫類、両生類、魚類に至るまで赤血球に核がある。赤芽球の脱核は、より効率良く酸素を肺から全身の組織に、二酸化炭素を全身から肺に運ぶために、必要としない構造と代謝を捨て分化した現象と考えられている。

		特徴	大きさ	数
細胞成分	赤血球		7〜8μm	380~550万個（女性） 420~570万個（男性）
	白血球	単球　好塩基球 リンパ球 好酸球　好中球	12〜25μm	4,000~9,000個
	血小板	無核で不定形	2〜3μm	15~40万個
液体成分	血漿	血液の約55％を占める。血漿は、水分を多く含む他、タンパク質、ナトリウムやカリウムなどの無機塩類、その他有機物等で構成される。		

ヒト正常末梢血の構成成分(イラスト：Rin Fujii & Hong Jing)。

BLOOD-SUCKING
CREATURES

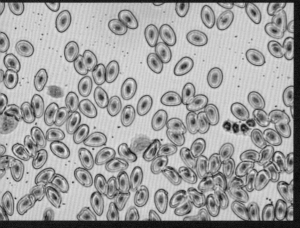

ニワトリの有核赤血球(写真提供：所司悠希)。

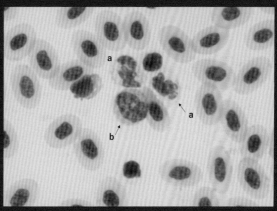

ニワトリの血球 a: 好酸球、b: リンパ球(写真提供：所司悠希)。

吸血動物の中で最も種類が多いのは節足動物であろう。現在、地球上に生息する100万種以上の昆虫、クモ類のうち、脊椎動物の血を吸う能力を獲得したのは1万4千種ほどいるらしい。血液の液体成分には、アルブミン、グロブリン、マクログロブリンを含め80種類ほどのタンパク質が含まれ節足動物にとっては栄養に富む上、相手が哺乳動物の場合は大量に得ることが可能で利用しない手はないのであろう。利用の仕方はそれぞれで、蚊、ブユ、ヌカカ、アブのようにメスが産卵のために栄養を得るためだけの場合もあれば、サシバエ、シラミバエ、ツェツェバエ、ノミ、シラミのように生存のためにオスもメスも吸血する場合もある。吸血動物の多くは、一度の食事で大量の血液を摂取する。蚊やサシガメは一度の食事で体重の3倍から10倍、マダニのメスは初期体重の100倍にもなる。お腹をパンパンにし動きが鈍くなる者もいるが、そこはちゃんと考えられている。蚊などは血液を濃縮し不要な水分を排出してから、飛び立つ。

しかしながら、血液中に大量に含まれる赤血球のヘモグロビンは節足動物にとって厄介なはずだ。ヘモグロビンは名の通り、ヘムとグロブリンから構成されている。鉄を含む化合物であるヘムが酸素分子と結合し、ヘモグロビンは酸素を運搬している。吸血節足動物の中腸で脊椎動物のヘモグロビンが分解されると、細胞毒性を持つヘムが大量に生成される。ヘムは活性酸素を発生させるため毒性が高いのである。ヘムの毒に対抗するために、吸血節足動物はそれぞれ異なるメカニズムで巧みな対応策をとっている。赤血球の大きさは動物種によって様々である。ヒトの赤血球の大きさは7〜8μmであるが、ヤギ3.3、羊4.4、ネコ5.6、ウシ5.8、水牛6.2、ブタ7.0、ハムスター7.3、アフリカゾウ9.0、ゾウアザラシ11.4（すべて平均直径、単位はμm）などである。カエルの赤血球はヒトの倍以上である。体の大きさと赤血球の大きさは比例しない。上述したように、核があったり、なかったり、また血液型も動物種によりさまざまである。ヒトがABO式血液型で4種類だとすると、ニワトリでは14種類、ブタでは17種類もある。

吸血動物がどの脊椎動物種の血を好むか（吸血嗜好性）についての研究は多く、吸血動物の生息環境や行動習性など加味する必要があるものの、哺乳類の血はいただくけど鳥類は結構です、哺乳類でも特にウシが好きです、鳥類だけいただきます、両性類だけいただきます、など傾向がある。シラミ類は生涯を宿主動物（宿主とは寄生される生物）の体表で過ごし（寄生）、ブタについたブタジラミは生涯ブタの血だけをいただくことになり宿主特異性が高いと表現される。シラミ類は鳥類には寄生しない。一方、ヒトスジシマカはヒトの血を好む傾向があるが、哺乳類の他、鳥類、爬虫類、両生類、なんでも来いである。数ミリほどの小さな体で、様々な血に対応可能ということである。子どもヤマビル研究会の子供たちは、ニホンヤマビルの体内残留血のDNA解析から、吸血宿主としてシカの他、カエルのDNAが出たという論文を知り、試行錯誤を重ね、実際にヤマビルがカエルから血を吸うことを確認している。

吸血節足動物が1万4千種と聞くと多いような気がするが、地球上に生息する100万種以上のうちの1万4千種である。極めて少ないと言えるのではないだろうか。「吸血動物」という括りだけで本誌が刊行される所以である。吸血対象動物も動くものだから、血をいただく方も命がけであろう。節足動物の吸血嗜好性を決定する因子や、ヘム分解の生理的な重要性は完全に理解されていないが、そこまでして血を吸う能力を獲得したのだから、吸血動物にとって、血はきっと美味しいに違いない。

血液を濃縮し、不要な水分を排出しながら吸血を続けるサシチョウバエ。

BLOOD-SUCKING
CREATURES

"アース製薬"の吸血害虫飼育管理

協力：アース製薬株式会社（東邦昭、有吉立）

アース製薬の研究棟。ここで膨大な数の（ヒトにとって）害のある害虫たちが厳重に飼育、管理されている。

厳密な管理を要する日々の飼育管理

　虫ケア用品メーカーとして名を知られるアース製薬は1892年（明治25年）に創業、炭酸マグネシウムの国産化に成功。家庭用殺虫剤「アース」の販売を開始したのは1929年。以降、今や誰もが知るゴキブリ用捕獲器「ごきぶりホイホイ」などのヒット商品を生み出してきた。

　同社の生物飼育室では現在、吸血害虫（あるいはその関連害虫）として5種のカ（アカイエカ *Culex pipiens*、ネッタイイエカ *Culex quinquefasciatus*、ヒトスジシマカ *Aedes albopictus*、ネッタイシマカ *Aedes aegypti*、ハマダラカの1種 *Anopheles* sp.）、7種のダニ（ヤケヒョウダニ *Dermatophagoides pteronyssinus*、コナヒョウダニ *Dermatophagoides farinae*、ケナガコナダニ *Tyrophagus putrescentiae*、ミナミツメダニ *Chelacaropsis moorei*、イエダニ *Ornithonyssus bacoti*、フタトゲチマダニ *Haemaphysalis longicornis*、アカツツガムシ *Leptotrombidium akamushi*）、1種のノミ（ネコノミ *Ctenocephalides felis*）が飼育

182

されている。このうち、ダニでは吸血種の他にアレルゲンとなりうる種も含まれている。

なお同室で飼育されている個体は、伝染病の媒介などを懸念して、大学や研究機関などから譲渡された「出自のはっきりした」個体に限定されている。

飼育個体数は蚊が5万匹、ダニは1億匹、ノミは5,000～6,000匹（いずれも幼虫・成虫等合わせたおおよその数）と膨大だが、これらは同飼育室のわずか6名の飼育担当研究部員により管理されている。

ほとんどが約1か月～数カ月の寿命であることからそれぞれの害虫を随時健全に、かつ累代飼育するため、温度や湿度、日照時間が厳密に管理されている。具体的には、例えば蚊の日照時間であれば14～16時間を明るく保ち、その後8～10時間を暗くする。こうした管理が正確に行われなければ、交尾、産卵に不具合が出るなど、様々な問題が生じるという。

種によってはマニュアルブックもあるが、そうではないものについては試行錯誤の中で飼育法が確立されてきた。

生物飼育室で管理されている害虫は、上記の吸血害虫を含め（他にゴキブリやハエ等）現在100種類である。これらはここ20年程度でおよそ約3倍に増えているという。これは年々「不快害虫」とされる虫の種類が増えており、これに伴い虫ケア用品の種類も増えた。

新たな虫ケア用品の開発には、薬剤を新たにするという方法の他、それまでにあった薬剤の処方を変えることでも対応が可能だという。ただし、新製品の開発の際だけでというわけではなく、薬剤の効果試験は日々行われており、試験害虫の供給も短いスパンで必要となる。飼育個体は、産卵、新規導入などで日々更新されている。

飼育室で管理されているダニのうちの一つ、フタトゲチマダニ *Haemaphysalis longicornis*。

蚊飼育室(左)とダニ飼育室(右)。温度湿度の管理が徹底されていることなどにより、飼育害虫の累代飼育を可能としている。採集も含めて、誰しもができることではないだろう。

虫 ケア用品の薬剤はかつて除虫菊をそのまま粉末にしたものを使用していた。その後、除虫菊の粉末からピレトリン（$C_{21}H_{28}O_3$）を精製して使われていたが、現在はピレトリンに類似した構造（菊酸とアルコールのエステル）を持つ化合物群「ピレスロイド系」の薬剤が中心となっている。その特徴は、人体への安全性が高いことに加え、虫に対する作用が早いことが挙げられる。

こうしたピレスロイド系の薬剤に対して蚊では、チカイエカを除いて日本国内であまり抵抗性が発達していないが、ゴキブリやトコジラミなど、他の害虫種に関しては抵抗性が発達している個体もある。

一般に懸念されるケースがある「殺虫剤抵抗性」は、同じ場所で"同じ"薬剤を処理し続けると抵抗性が発達する。日本国内でビルの浄化槽では日常的に薬剤散布が行われることがあり、殺虫剤抵抗性をもつ個体が発現することがある。

またアタマジラミ *Pediculus humanus capitis* では、近年沖縄で抵抗性のある個体が比較的多く見られる。

その理由は定かではないが、これに対抗するべく2021年（令和3年）、アース製薬から「薬剤抵抗性のシラミに効く」とパッケージにも記載された「アースシラミとりローション」が発売された。

外装パッケージ

「アースシラミとりローション」

その他の吸血動物
内部寄生虫

本当に怖いのは血を吸うことではなく……？

本書では様々な吸血動物を見てきた。しかし、全てではない。たとえば、日本住血吸虫 *Schistosoma japonicum* は、人を含む哺乳類の腸間膜静脈内に寄生する体長2cm程の扁形動物である。この寄生虫が悪いのは、この血管にいること自体ではなく、産み出された虫卵が直近の肝臓内の血管に栓塞することで生ずる機能不全である。また、虫卵が肝をすり抜けた場合、体中の血管に詰まる危険性があり、もちろん、この栓塞が作る病態は詰まった場所による。大脳ならば中枢神経症状を呈すのでとても厄介だ。

「それは判ったが、それなら、日本住血吸虫の虫卵は、どうやって体外に出るのか」

と不思議に思われるだろう。いったん肝臓の血管を詰めた後、逆流した血液に載せ、腸粘膜にまで到達させ、その部が変性して粘膜ごと糞便に混ぜて出す。もし、糞便が田んぼや池などに近接した場所なら、孵化した幼虫ミラシジウムがそういった淡水中の中間宿主・宮入貝に入り込む。そして、その体内で幼虫セルカリアにまで成長、その幼虫が遊出し、次の犠牲者の皮膚に侵入するのだ。

日本では、この貝が甲府盆地を擁する山梨県に多く生息していたため、かつて、同県民は日本住血吸虫症に悩まされた。幼虫が皮膚から入り込むので、子供にとってはずいぶん酷な話だが、素足で田んぼや池に入るなという教育が徹底していた（吸虫の生活史ポスター）。また、この貝が生息する環境を徹底的に改変したことなどから、1980年代にはほぼ終息した。

現在は野鳥の住血吸虫類（*Trichobilharzia* 属など）の幼虫セルカリアが人に経皮感染して、その場で死に、とても不快な皮膚炎の原因となる程度である。また、淡水産カメ類に寄生する住血吸虫類では、甲羅に養分を送る血管に虫卵が栓塞し

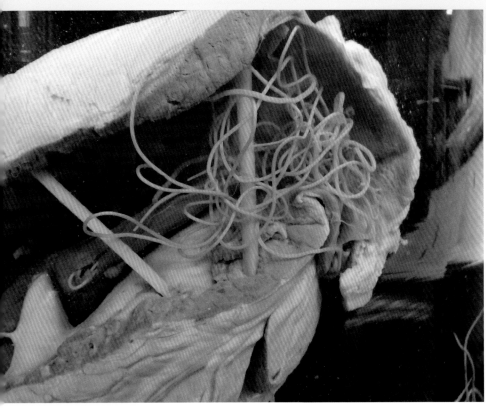

心臓に寄生した犬糸状虫のホルマリン漬け標本。

た場合、悲惨な病変を甲羅に形成してしまう害を与えるので、カメのオーナーさん泣かせである。

一方、長年、愛犬家を困らせたのが犬糸状虫 *Dirofilaria immitis*（線虫）である。この寄生虫は犬の肺動脈から右心室の血管に寄生する体長20cm程のソーメン状の寄生虫である。この寄生虫は卵胎生であるため、第1期幼虫（ミクロフィラリア）が血流に乗り、トウゴウヤブカなどに吸血された際、その体内で感染幼虫にまで生育する。そして、この蚊が次の犬を吸血する際、感染をさせる。なにしろ、血管に寄生するので循環障害が著しい。

しかし今は、蚊が出る季節に、イベルメクチンという駆虫薬が入ったペットフードが与えられ、完全な予防がなされているため、飼犬では珍しい疾病となった。しかし、野生タヌキのような他のイヌ科動物では、もちろん、こういった予防はし

ていないので、成虫が見つかる。また、そういった動物の血液を吸った蚊が、猫に幼虫を感染させる。そうなると、犬糸状虫は未成熟虫の状態で、重篤な呼吸器疾患を猫に起こす。まさに、猫の新興寄生虫病として注目されている。

ところで、イベルメクチンであるが、北里大学の大村智博士が発見された。2015年、その功績でノーベル生理・医学賞を受賞されたのはご存知であろう。なお、大村先生、日本住血吸虫症で悩まされた山梨県ご出身。故郷の惨状に立ち向かった姿勢に寄生虫学の研究者に感動を与えた。実に、この本を閉じるのに相応しいエピソードではないか。

浅川満彦

参考文献

参考文献

注：本書で引用・参考にした主要文献は蚊、ダニ類、(症例報告を含む)ヒル類およびその他に分け、それぞれ著者姓ABC順で配列した。また、著者が3名以上では「ほか」あるいはet al.と略記した。さらに、同一文献(全般的内容を扱った教科書など)が先のパートで示された場合、後の方は省略した。

Borkent, A. and Grimaldi, D. A. (2004) The earliest fossil mosquito (Diptera: Culicidae), in mid-Cretaceous burmese amber. Ann. Entomol. Soc. Amer. 97: 882-888.

Ejiri, H. et al. (2009) Prevalence of avian malaria parasite in mosquitoes collected at a zoological garden in Japan. Parasitol. Res., 105: 629-633.

江下優樹ほか (1982) 蚊類のデングウイルス感受性に関する研究 I. 本邦産蚊類のウイルス感受性. 衛生動物, 33: 61-64.

Higa, Y. et al. (2012) Description of female pupa and larva of Ficalbia ichiromiyagii from Iriomote Island, Ryukyu Archipelago, Japan. J. Amer. Mosq. Cont. Assoc., 28: 279-285.

Imanishi, N. et al. (2018) Identification of three distinct groups of Anopheles lindesayi in Japan by morphological and genetic analyses. Jpn. J. Inf. Dis., 71: 427-435.

宮城一郎 (1972) 実験室内での日本産蚊族の冷血動物吸血性について. 熱帯医学, 14: 203-217.

宮城一郎・當間孝子 (2017) 琉球列島の蚊の自然史, 東海大学出版部, 神奈川.

茂木幹義 (1976) 対馬の蚊. 対馬の生物, 長崎県生物学会, 長崎: 309－316, 606－607,

大濱信賢 (1947) 八重山ニ於ケルマラリアノ流行学的研究 第II報, 石垣島ニ於ケル新ニ発見シタルアノフェレスノ一種, アノフェレス・オーハマイ, ANOPHELES OHAMAI (ISHIGAKIISLAND), 1947, ニ於イテ. 八重山民政府衛生部業績, 4: 1-15.

Sawabe, K. et al. (2010) Host-feeding habits of Culex pipiens and Aedes albopictus (Diptera: Culicidae) collected at the urban and suburban residential areas of Japan. J. Med. Entomol., 47: 442-450.

Tamashiro, M. (2011) Bloodmeal identification and feeding habits of mosquitoes (Diptera: Culicidae) collected at five islands in the Ryukyu Archipelago, Japan. Med. Entomol. Zool., 62: 53-70.

田中和夫 (2014) カ科. 中村剛之・三枝豊平・諏訪正明 (編) 日本昆虫目録 第8巻 双翅目 第一部 長角亜目, 櫂歌書房, 福岡: 181-201.

Tokuyama, Y. (1987) Seasonal appearance and size of egg rafts of Culex halifaxii and Culex fuscanus in Okinawajima, the Ryukyu Archipelago, Japan. J. Amer. Mosq. Cont. Assoc., 3: 403-406.

Toma, T. and Higa, Y. (2004) A new species of Ficalbia (Diptera: Culicidae) from Iriomote Island, Okinawa, Ryukyu Archipelago, Japan. Med. Entomol. Zool., 55: 195-199.

Toma, T. et al. (2014) Blood meal identification and feeding habits of Uranotaenia species collected in the Ryukyu Archipelago. J. Amer. Mosq. Cont. Assoc., 30: 215-218.

津田良夫 (2019) 日本産蚊全種検索図鑑, 北隆館, 東京

青木淳一 (編) (2001) ダニの生物学. 東京大学出版会, 東京.

Brusca, R. C. ed al. (eds.) (2016) Invertebrates. Sinauer Associates Inc, Massachusetts.

Cheng, L. and Frank, J. H. (1993) Marine insects and their reproduction. Oceanogr. Marin. Biol. Ann Rev., 31: 479-506.

Dunlop, J. A. (2010). Geological history and phylogeny of Chelicerata. Arthr. Str. Dev., 39: 124-142.

Howard, R. J. et al. (2020) Arachnid monophyly: Morphological, palaeontological and molecular support for a single terrestrialization within Chelicerata. Arthr. Str. Dev., 59: 100997.

今井壮一ほか (2009) 図説 獣医衛生動物学. 講談社, 東京.

Kawakami, Y. et al. (2016) Distribution of house dust mites, booklice, and fungi in bedroom floor dust and bedding of Japanese houses across three seasons. Indo. Envir., 19: 37-47.

Krantz, G. W. and Walter, D. E. (eds.) (2009) A Manual of Acarology. 3rd ed., Texas Tech University Press, Texas.

夏秋 優 (2013) Dr.夏秋の臨床図鑑 虫と皮膚炎. 学研メディカル秀潤社, 東京.

Lozano-Fernandez, J. et al, (2020) A Cambrian-Ordovician terrestrialization of arachnids. Front. Gen., 11: 182.

Mans, B. J. et al. (2011) Nuttalliella namaqua: A living fossil and closest relative to the ancestral tick lineage: Implications for the evolution of blood-feeding in ticks. PLOS ONE 6: e23675.

Nakao, R. et al. (2021) Amblyomma testudinarium infestation on a brown bear (Ursus arctos yesoensis) captured in Hokkaido, a northern island of Japan. Parasitol. Int., 80: 102209.

Nielsen, D. H. et al. (2021) Annotated world checklist of the Trombiculidae and Leeuwenhoekiidae (1758-2021) (Acari: Trombiculoidea), with notes on nomenclature, taxonomy, and distribution. Zootaxa, 4967: 1-243.

日本昆虫科学連合 (編). (2017) 招かれない虫たちの話 —虫がもたらす健康被害と害虫管理. 東海大学出版会, 東京.

Nolan, E. D. et al. (2020) Developmental gene expression as a phylogenetic data class: support for the monophyly of Arachnopulmonata. Devel. Gen. Evol., 230: 137–153.

Ohyama, Y. and Matsuda, T. (1977) Free-living prostigmatic mites found around Syowa Station. Antar. Rec. 21: 172–176.

Proctor, H. C. (2003). Feather mites (Acari: Astigmata): ecology, behavior, and evolution. Ann. Rev. Entomol., 48: 185–209.

佐々 学・青木淳一 (編) (1977) ダニ学の進歩 —その医学・農学・獣医学・生物学にわたる展望. 北隆館, 東京.

Sengupta, D. and Sanyal, A. K. (1990) Oribatid (Acari: Oribatei) fauna of the himalayan soils of Himachal Pradesh, India. Envir. Ecol., 8: 149–153.

島野智之 (2018) ダニ類の高次分類体系の改訂について —高次分類群の一部和名改称. 日本ダニ学誌, 27: 51–68.

島野智之・髙久 元 (編) (2016) ダニのはなし—人間との関わり. 朝倉書店, 東京.

Sugawara, H. et al. (1995) Distribution and temperature tolerance of the Antarctic free-living mite Antarcticola meyeri (Acari, Cryptostigmata). Pola. Biol., 15: 1–8.

髙田伸弘 (編) (2019) 医ダニ学図鑑—見える分類と疫学. 北隆館, 東京.

髙橋 守ほか (2013) ウミヘビツツガムシ Vatacarus ipoides の宿主への適応—シンプルになった生活環. ダニ研. 8: 5–29.

津田良夫ほか(編) (2020) 衛生動物の事典. 朝倉書店, 東京.

Uchida, T. and Imamura, T. (1953) Some new water-mites from Japan. J. Fac. Sci. Hokkaido Univ., Ser. 6, Zool., 11: 515–524.

Waki, T. and Shimano, S. (2020). A report of infection in the crested ibis Nipponia nippon with feather mites in current Japan. J. Acarol. Soc. Jpn., 29: 1–8.

Ward, J. V. (1992) Marine, brackish, and inland salt waters. In: Ward J. V., Aquatic Insect Ecology. 1. Biology and Habitat, John Wiley and Sons, New York: 169–197,

Yamaguti, N. et al. (1971) Ticks of Japan, Korea and the Ryukyu Islands. Brigham Young Univ. Sci. Bull. Biol. Ser., 15: 1–226.

Yankovskaya, A. I. (1978) The first finding of ultra-abyssal Halacaridae (Acaria) in the Pacific. Zool. Z., 57: 295–299.

Zhang, Z.-Q. (2013) Phylum Arthropoda. Zootaxa, 3703: 17–26.

Zhang, Z.-Q. et al. (2011) Order Trombidiformes Reuter, 1909. Zootaxa, 3148: 129–138.

Aizawa, M. and Morishima, K. 2018. Distribution of Haemadipsa japonica in Japan before the 1980s. J. Jpn. For. Soc., 100: 65–69.

Bielecki, A. et al. (2014) Diversity of features of the female reproductive system and other morphological characters in leeches (Citellata, Hirudinida) in phylogenetic conception. Cladistics, 30: 540–554.

Bolotov, I. N. et al. (2019) Freshwater mussels house a diverse mussel-associated leech assemblage. Sci. Rep., 9: 16449.

Borda, E. et al. (2008) On the classification, evolution and biogeography of terrestrial haemadipsoid leeches (Hirudinida: Arhynchobdellida: Hirudiniformes). Mol. Phyl. Evol., 46: 142–154.

de Carle, D. et al. (2017) Phylogenetic analysis of Placobdella (Hirudinea: Rhynchobdellida: Glossiphoniidae) with consideration of COI variation. Mol. Phyl. Evol., 114: 234–248.

Erséus, C. et al. (2020) Phylogenomic analyses reveal a Palaeozoic radiation and support a freshwater origin for clitellate annelids. Zool. Scr., 49: 614–640.

Fahmy, M. et al. (2019) Biological inventory of Ranomafana National Park tetrapods using leech-derived iDNA. Eur. J. Wildl. Res., 65: 70.

Fukuyama, R. and Morishima, K. (2021) First record of ectoparasite by a land leech on Anderson's Spiny Crocodile Newt, Echinotriton andersoni (Caudata: Salamandridae). Herpetol. Not., 14: 1379–1380.

Hanya, G. et al. (2019) Host selection of hematophagous leeches (Haemadipsa japonica): Implications for iDNA studies. Ecol. Res., 34: 842–855.

樋口大良 (2021) ヒルは木から落ちてこない. 山と溪谷社, 東京.

Huang, T. et al. (2019) Vampire in the darkness: a new genus and species of land leech exclusively blood-sucking caev-dwelling bats from China (Hirudinida: Arhynchobdellida: Haemadipsidae). Zootaxa 4560: 257–272.

Ito, Y. et al. (2022) Ocular infestation by a juvenile leech, Myxobdella sinanensis in Japan. Amer. J. Ophthalmol. Case Rep., 25: 101389.

Kambayashi, C. et al. (2020) Topotype-based redescription of the leech Torix tukubana (Hirudinida: Glossiphoniiformes: Glossiphoniidae). Proc. Biol. Soc. Wash., 133: 59–71.

Kaygorodova, I. A. and Sorokovikova, N. V. (2014) Mass leech infestation of sculpin fish in Lake Baikal, with clarification of disease-prone species and parasite taxonomy. Parasitol. Int., 63: 754–757.

Kikuchi, S. et al. (1977) Scanning electromicrography of some species of leech (Hirudidae and Haemadipsidae) I. Hirudo nipponica from Japan. Jpn. J. Sanit. Zool., 28: 393–400.

Lai, Y.-T. 2019. Beyond the epistaxis: voluntary nasal leech (Dinobdella ferox) infestation revealed the leech behaviours and the host symptoms through the parasitic period. Parasitology, 146: 1477–1485.

Lai, Y.-T. et al. (2011) Three species of land leeches from Taiwan, Haemadipsa rjukjuana comb. n., a new record for Haemadipsa picta Moore, and an updated description of Tritetrabdella taiwana (Oka). ZooKeys, 139: 1–22.

Manglicmot, C. et al. (2020) Bacterial endosymbionts of Placobdella (Annelida: Hirudinea: Glossiphoniidae): phylogeny, genetic distance, and vertical transmission. Hydrobiologia, 847: 1177–1194.

Manum, S. B. et al. (1991) Clitellate cocoons in freshwater deposits since the Triassic. Zool. Scrip., 20: 347–366.

Morishima, K. et al. (2020) Sika deer presence affects the host–parasite interface of a Japanese land leech. Ecol. Evol., 10: 6030–6038.

Nagasawa, K. and Miyakawa, M. (2006) Infection of Japanese eel Anguilla japonica Elvers by Hemiclepsis marginata (Hirudinida: Glossiphoniidae). J. Grad. Sch. Biosph. Sci. Hiroshima Univ., 45: 15–19.

Nagasawa, K. and Fujiwara, K. (2008) Two piscicolid leeches (Hirudinida) and their cocoons on snow crabs Chionoecetes opilio in Japan, with the first record of Johanssonia arctica from the Sea of Japan. Biogeography, 10: 65–72.

Nagasawa, K. et al. (2008) Synopsis of leeches of the families Piscicolidae and Ozobnrachidae (Annelida, Rhynchobdellida) in Japan. Bull. Biogeogr. Soc. Jpn., 63: 151–171.

Nakano, T. (2011) Holotype redescription of Mimobdella japonica (Hirudinida, Arhynchobdellida, Erpobdelliformes) and taxonomic status of the genus Mimobdella. ZooKeys, 119: 1–10.

Nakano, T. et al. (2017) Praobdellidae (Hirudinida: Arhynchobdellida) is not specific only to the mucous-membrane after all: Discovery of a praobdellid leech feeding on the Japanese freshwater crab Geothelphosa dehaani. Parasit. Int., 66: 210–213.

Nakano, T. et al. (2020) Host-parasite relationships between seabirds and the haemadipsid leech Chtonobdella palmyrae (Annelida: Clitellata) inhabiting oceanic islands in the Pacific Ocean. Parasitology, 147: 1765–1773.

Oceguera-Figueroa, A. (2012) Molecular phylogeny of the New World bloodfeeding leeches of the genus Haementeria and reconsideration of the biannulate genus Oligobdella. Mol. Phyl. Evol., 62: 508–514.

Ogawa, K. et al. (2007) New record of the leech Limnotrachelobdella sinensis infecting freshwater fish from Japanese waters. Fish Pathol., 42: 85–89.

Oka, A. (1930) Sur une variété de l' Haemadipsa zeylanica s' attaquant aux Oiseaux. Proc. Imper. Acad., 6: 82–84.

Oka, A. (1934) Note sur les moeurs de la Myxobdella sinanensis. Proc. Imper. Acad., 10: 519–520.

Phillips, A. J. and Siddall, M. E. (2009) Poly-paraphyly of Hirudinidae: many lineages of medicinal leeches. BMC Evol. Biol., 9: 246.

Reeves, L. E. et al. (2018) Identification of Uranotaenia sapphirina as a specialist of annelids broadens known mosquito host use patterns. Commun. Biol., 1: 92.

Sawyer, R. T. (1986) Leech Biology and Behaviour. Clarendon Press, Oxford.

Schenková, J. et al. (2021) Myxobdella socotrensis sp. nov., a new parasitic leech from Socotra Island, with comments on the phylogeny of Praobdellidae (Hirudinida: Arhynchobdellida). Parasitol. Int., 82: 102310.

Schnell, I. B. et al. (2015) iDNA from terrestrial haematophagous leeches as a wildlife surveying and monitoring tool - prospects, pitfalls and avenues to be developed. Front. Zool., 12: 24.

Seo, H.-Y. et al. (2013) First report of blood-feeding terrestrial leech, Haemadipsa rjukjuana Oka, 1910 (Hirudinida: Arhynchobdellida: Haemadipsidae) in Korea. Kor. J. Soil Zool., 17: 14–18.

Sket, B. and Trontelj, P. (2008) Global diversity of leeches (Hirudinea) in freshwater. Hydrobiologia, 595: 129–137.

Sloan, N. A. et al. (1984) Cocoon deposition on three crab species and fish parasitism by the leech Notostomum cyclostoma from deep fjords in northern British Columbia. Mar. Ecol. Prog. Ser., 20: 51–58.

田中祥菜ら(2017)動物園飼育下オオサンショウウオ(Andrias japonicus)から得られたアタマビルHemiclepsis marginata (Hirudinida: Glossiphoniidae). 酪農大紀, 自然, 41: 153-154.

Tessler, M. et al. (2018). Worms that suck: Phylogenetic analysis of Hirudinea solidifies the position of Acanthobdellida and necessitates the dissolution of Rhynchobdellida. Mol. Phyl. Evol., 127: 129–134.

Yamauchi, T. et al. (2008) Stibarobdella macrothela (Annelida, Hirudinida, Piscicolidae) from elasmobranchs in Japanese Waters, with new host records. Biogeography, 10: 53–57.

Yamauchi, T. et al. (2013) Occurrence of Parabdella quadrioculata (Annelida: Hirudinida: Glossiphoniidae) in Japan, with a first case of human infestation by the leech. Comp. Parasitol., 80: 134–135.

Yoshiba, S. (1996) Medical-zoological characteristics of the land leech, Haemadipsa zeylanica japonica Whitman, 1886, which explosively propagated in the southern part of Boso Peninsula—chiefly from the periodical fixed point observations on its population for 10 years. Ann. Rep. Mar. Ecosyst. Res. Cent. Chiba Univ.: 34–53.

吉田圭太ら (2017) 静岡県内の小学校で飼育されていた淡水カメ類から得られた内外寄生虫保有状況. 爬虫両棲報2017年1号: 37-39.

Yoshino, T. et al. (2017) Parasitic leeches (Hirudinea) collected from wild birds in Wild Animal Medical Center of Rakuno Gakuen University. Res. One Heal., 2017/Sept.: 1-7.

Zara, F. J. et al. (2009) Myzobdella platensis (Hirudinida: Piscicolidae) is true parasite of blue crabs (Crustacea: Portunidae). J. Parasitol., 95: 124–128.

浅川満彦 (2019) 水族館展示動物の寄生虫学研究－酪農学園大学野生動物医学センターWAMCを拠点にした事例概要. 酪農大紀, 自然, 43 (2): 105-109. [注: 寄生性甲殻類の関連症例は多岐にわたったので, 本総説引用文献で明示した個々原著論文を参照]

浅川満彦ほか (2000) クッチャロ湖で死亡したコハクチョウの住血吸虫科吸虫. 北獣会誌, 44: 326.

Blank, S. M. et al. (2007) Zool. J. Linn. Soc., 149, 117–137.

Cornell Lab of Ornithology (2022). Birds of the World. https://birdsoftheworld.org/

Curry, R. L. and Anderson, D. J. (1987). Interisland variation in blood drinking by Galápagos mockingbirds. Auk, 104: 517-521.

Gotanda, K. et al. (2021). Vampire finches: how little birds in the Galápagos evolved to drink blood, The Conversation, 15 Jan. 2021. https://theconversation.com/vampire-finches-how-little-birds-in-the-galapagos-evolved-to-drink-blood-153010

藤田紘一朗(1994) 強壮剤「ヘビの生血のワイン割り」, 笑うカイチュウ―寄生虫博士奮闘記, 講談社, 東京: 155-158.

Holland, G. P. (1964) Ann. Rev. Entomol., 9: 123–146.

巌佐 庸ら (2013) 岩波生物学辞典第5版, 岩波書店, 東京: 2171 pp.

川上和人ほか (2016). ハシブトガラスによるニホンジカに対する吸血行動の初記録. Strix, 32: 193-198.

工樂樹洋 (2017) 円口類スタウナギとヤツメウナギの分子進化学. 月刊海洋, 49: 224-232.

Michel, A.J. et al. (2018). The gut of the finch: uniqueness of the gut microbiome of the Galápagos vampire finch. Microbiome, 6: 167.

Linardi, P. M. et al. (2014) Parasite, 21: 68.

日本防疫殺虫剤協会 (年不明) ノミ, 同協会ウェブサイト http://hiiaj.org/vermins/fleas.html

大阪市 (年不明) トコジラミについて, 同市ウェブサイト https://www.city.osaka.lg.jp/kenko/page/0000200245.html)

Patel, P. U. et al. (2021) Clin. Exp. Dermatol., 46: 1181-1188.

Price, R. D. et al. (2003) The Chewing Lice. World Checklist and Biological Overview.

Reed. D. L. et al. (2003) PLoS Biol., 2: e340.

Sazima, I. and Sazima, C. (2010). Cleaner birds: an overview for the Neotropics. Bio. Neotrop., 10: 195-203.

白土三平(1987) ソレソレ, フィールドノート土の味, 小学館, 東京: 70-74.

白川北斗ら(2009) カワヤツメ幼生の生息地選択性は成長段階によって変化する. 応用生態工学, 12: 87-98.

Song, S. J. et al. (2019). Is there convergence of gut microbes in blood-feeding vertebrates? Phil. Trans. Roy. Soc. B, 374 (1777): 20180249.

Stutt, A. D. and Siva-jothy, M. T. (2001) PNAS 98, 5685–5687.

Veracx, A. and Raoult, D. (2012) Tren. Parasitol., 28: 563-571.

Weeks, P. (2000). Red-billed oxpeckers: vampires or tickbirds? Behav. Ecol., 11: 154-160.

吉田幸雄 (1977) クルーズトリパノソーマおよびその他のトリパノソーマ, 図説 人体寄生虫学, 南山堂, 東京: 26-27.

おわりに

　序文で記したように、1897年8月20日、ロナルド・ロス博士がハマダラカによるマラリア原虫伝播を見出し、その日を「世界蚊の日」としている。しかし、寄生虫病学を専門としている身でありながら、このような記念日を知らないでいた。恥じ入るばかりである。この不甲斐なさを原動力に、何としても2022年のその日までに本書を刊行することを心掛けた。

　本書はタイトルの通り血を吸う動物を扱ったが、本書刊行の直接的な契機となった蚊のみならず、他の節足動物、そして、ヒル類やヤツメウナギ類、鳥類、コウモリ類まで扱っている。人も含めているのは、若干、御愛嬌かもしれないが、いずれにせよ、高度で専門的な内容を分かり易く記述された著者の皆さんに深謝したい。いずれも、わが国トップクラスの研究者・専門家ばかりで、超多忙な中、企画意図にご理解頂けたのはまさに奇跡である。

　本書はグラフィック社という大型の装丁ではありながら、比較的安価で、その名の通り画像を豊富に収載することで定評がある。よって、一般には嫌

われモノ(というか公衆衛生上の敵)となってしまう動物が、美しい画像で、かえって多くの人々を虜にしてしまうかもしれない。まあ、関心を持ってもらわないと根本的な対策の第一歩は望めない。良しとしよう。

　最後にこの記念すべき企画で、その監修者として浅川をご指名下さった株式会社グラフィック社 坂田哲彦氏に感謝したい。しかし、坂田氏によると、その指名では、一般財団法人 自然環境研究センター(東京都)に勤務される大田和朋紀氏の推薦があったという。5年ほど前、彼が入手したエラブウミヘビの肺に寄生していたツツガムシ類などの報告を共同で行ったことで、大田和氏と知己を得た。件のツツガムシ類、本書で紹介された典型的なツツガムシ類とは異なり、まさに異形であり、印象深い仕事ではあったが、まさか、また、このような形で再燃するとは…。いずれにしても、有難いことである。

　本書が多くの方々にご覧頂けることを祈念しつつ。

2022年7月　監修者・淺川満彦

監修

浅川 満彦

1959年生。現在、酪農学園大学獣医学類医動物学ユニット 教授／同大・野生動物医学センターWAMC施設長兼。WAMCが同大・附属動物病院構内にあるので傷病鳥獣救護や死因解析の依頼が続々。しかし、専門は野生動物の寄生虫（病）学と野生動物医学。このあたりのエピソードは最近刊『野生動物医学への挑戦―寄生虫・感染症・ワンヘルス』（東京大学出版会）と『野生動物の法獣医学』（地人書館）をご参照。

編著

葛西 真治

国立感染症研究所昆虫医科学部部長。専門は衛生昆虫学、殺虫剤抵抗性分子機構。著書に『分子昆虫学』『招かれない虫たちの話』『衛生動物の事典』（いずれも共著）などがある。

三條場 千寿

東京大学大学院農学生命科学研究科・応用免疫学教室所属。専門は節足動物媒介性感染症。著書に『あなたは嫌いかもしれないけど、とっておもしろい蚊の話』（比嘉との共著）山と渓谷社（2019）がある。

島野 智之

1968年生まれ。横浜国立大学大学院工学研究科修了。博士（学術）。法政大学 国際文化学部／自然科学センター教授。専門は動物分類学、ダニ学、昆虫を含む節足動物学。2017年日本土壌動物学会賞受賞、2018年日本原生生物学会賞受賞、2022年日本動物分類学会賞受賞。論文多数。モットーは、「命はすべてつながっている、つまらない生き物だから絶滅してよいはずはない」。

中島 宏章

1976年札幌生まれ。動物写真家。子どもの頃から動物好き。2000年頃よりコウモリ類の調査研究および写真作品づくりに没頭。2010年、第3回田淵行男賞を受賞。

中野 隆文

京都大学理学研究科准教授。多様性生物学、分類学などのほか、アジア圏のヒル類の研究を専門とする。

西海 功

国立科学博物館 動物研究部 研究主幹
1999年、博士（理学）京都大学。1996年から国立科学博物館動物研究部研究員、2009年より現職。2010年から九州大学大学院比較社会文化研究院客員准教授。2018年より同客員教授。2010～13年、日本鳥学会副会長、16～17年同会長。日本とアジアの鳥類に関する集団構造や種分化、保全遺伝についての研究、DNAバーコード、日本鳥類目録の編集などに取り組む。

比嘉 由紀子

国立感染症研究所昆虫医科学部　室長　専門は蚊の分類、生態学。著書に『あなたは嫌いかもしれないけど、とっておもしろい蚊の話』（三條場との共著）山と渓谷社（2019）がある。

山内 健生

1976年生まれ。広島県出身。九州大学大学院比較社会文化研究科修了。博士（学術）。帯広畜産大学准教授。専門は衛生動物学、動物分類学。著書（分担執筆）に『衛生動物の事典』『小学館の図鑑NEO危険生物』など。

吉澤 和徳

北海道大学農学部昆虫体系学研究室・准教授．新潟県小千谷市出身。九州大学大学院修了。博士（理学）。専門は昆虫分類学、系統学、形態学（特にチャタテムシの分類やシラミの進化など）。2017年イグ・ノーベル賞受賞。

デザイン
大島達也（chorus）
岡本佳子（Kahito Commune）
小椋由佳

図版制作
LALA THE MANTIS

DTP
宇田川由美子

編集
坂田哲彦（グラフィック社）

図説
世界の吸血動物

2022年7月25日　　　初版第1刷発行

監修	浅川満彦
編著	葛西真治
	三條場千寿
	島野智之
	中島宏章
	中野隆文
	西海功
	比嘉由紀子
	山内健生
	吉澤和徳
	（五十音順）

発行者　　西川正伸
発行所　　株式会社グラフィック社
　　　　　〒102-0073
　　　　　東京都千代田区九段北1-14-17
　　　　　TEL 03-3263-4318
　　　　　FAX 03-3263-5297
　　　　　郵便振替 00130-6-114345
　　　　　http://www.graphicsha.co.jp/

印刷・製本　図書印刷株式会社